Robert Walke

1985

Salvian von Marseille
Des Timotheus vier Bücher an die Kirche

SCHRIFTEN DER KIRCHENVÄTER

Herausgegeben von Norbert Brox

BAND 3

SALVIAN VON MARSEILLE

DES TIMOTHEUS VIER BÜCHER
AN DIE KIRCHE

DER BRIEF AN DEN
BISCHOF SALONIUS

Deutsche Übersetzung
von Anton Mayer
Bearbeitet von Norbert Brox

KÖSEL-VERLAG MÜNCHEN

Die Übersetzung beider Schriften ist entnommen aus:
Salvianus von Massilia, Erhaltene Schriften.
Aus dem Lateinischen übersetzt von Anton Mayer,
(Bibliothek der Kirchenväter, 2. Reihe, Band XI) München 1935.

CIP-Kurztitelaufnahme der Deutschen Bibliothek

Salvianus ⟨Massiliensis⟩:
[An die Kirche]
Des Timotheus vier Bücher an die Kirche. Der Brief an den
Bischof Salonius / dt. Übers. von Anton Mayer. Bearb. von
Norbert Brox. – München : Kösel, 1983.
　　(Schriften der Kirchenväter ; Bd. 3)
　　Einheitssacht.: Ad ecclesiam ⟨dt.⟩
　　Auf d. Haupttitels. auch: Salvian von Marseille
　　ISBN 3-466-25033-1
NE: Mayer, Anton [Übers.]; Brox, Norbert [Bearb.];
Salvianus ⟨Massiliensis⟩: [Sammlung ⟨dt.⟩]; GT
Vw: Timotheus [Pseud.] → Salvianus ⟨Massiliensis⟩

ISBN 3-466-25033-1
© 1983 by Kösel-Verlag GmbH & Co., München
Printed in Germany. Alle Rechte vorbehalten
Gesamtherstellung: Kösel, Kempten
Umschlag: Günther Oberhauser, München

Vorwort

Salvian von Marseille ist einer der wenig bekannten Kirchenväter. Die christliche Erinnerung hat ihn kaum berücksichtigt. Auch die kirchengeschichtliche Szene, der er zugehört, also das spätantike oder schon frühmittelalterliche Gallien, gehört eher zu den unbekannten Regionen im kirchengeschichtlichen Allgemeinwissen. Lateinische frühchristliche Schriftsteller etwa aus Nordafrika wie Tertullian, Cyprian, Augustinus und die Verhältnisse jeweils ihrer Zeit sind viel vertrauter. Freilich sind sie auch bedeutsamer und von größerer historischer Nachwirkung gewesen als Salvian. Aber von Salvian blieben immerhin zwei umfangreichere literarische Werke erhalten, die für ihre Zeit von höchster Aktualität waren und dadurch noch jetzt von besonderem Informationswert sind, und zwar in kulturgeschichtlicher und in kirchenhistorischer Hinsicht. Salvian reagierte als Kirchenmann auf zwei Phänomene in der (bereits christianisierten) gallo-römischen Gesellschaft seiner Zeit, die ihn stark beunruhigten. Das erste war der Zweifel der Leute an einem Sinn in der Geschichte, wie sie vor ihren Augen ablief; aufgrund der verheerenden Notsituationen und Brutalitäten, die sie während der Barbareninvasionen, aber gleichzeitig vom römischen Staatsapparat täglich zu ertragen hatten, begannen sie den Glauben daran aufzugeben, daß Gott der wohlmeinende und souveräne Lenker der Ereignisse sei. Salvian antwortete mit den traditionellen Mitteln einer Rechtfertigung Gottes (Theodizee), um für die verunsicherte Generation gerade aus der Katastrophengeschichte notwendige Einsichten und ermutigende Lehren zu ziehen. – Das andere Phänomen, das Salvian offenbar permanent beschäftigte, war die gedankenlose, sorgenfreie Art und Weise, in der sich die

Christen samt dem Klerus daran gewöhnt hatten, in Wohlstand und beträchtlichem Besitz zu leben, und dies angesichts
der krassen Not rundum. Er verlangte hier mit den unbequemen Argumenten des Rigoristen von allen Christen ein
sofortiges Umdenken und die Praxis eines fast uneinge-
schränkten Besitzverzichts. Seine Sozialkritik ist von einer
Unerbittlichkeit, wie sie von keinem anderen altkirchlichen
Schriftsteller bekannt ist. Diese Kritik wollte ganz aus den
Kriterien biblisch-christlicher Postulate begründet sein. Und
weil Salvian es nicht anders sehen konnte, als daß die
gegenwärtige Kirche in ihrer Lebenspraxis nicht mehr die
Kirche des Ursprungs und nicht mehr die Kirche der Liebe,
sondern im Wesentlichen verfallen war, kann man es auch
eine immanente Religionskritik nennen, was er betrieb. – Der
heutige Leser kann den »vier Büchern an die Kirche« nicht in
allen Denkschritten leicht und ohne weiteres folgen, aus
seiner Vertrautheit mit denselben (Dauer-)Fragen das leiden-
schaftliche Engagement Salvians und seine Empörung aber
doch nachvollziehen.

Regensburg, 28. Januar 1983   Norbert Brox

Inhaltsübersicht über den Text

B. Der IX. Brief: An den Bischof Salonius

Die Antwort: Der Verfasser war von der Allgemeinheit von Laster und Lauheit und von der Verweigerung jeder Besserung unter den Christen aller Stände so niedergedrückt, daß er in den Klageruf der Bücher an die Kirche ausbrach. – Er richtete ihn an die (ganze) Kirche, weil es nicht um einige, sondern um alle ging.

Die Antwort: Ein ausreichender Grund wäre die christliche Demut, der hauptsächliche Grund war aber der, daß der Autor aufgrund seiner niedrigen Selbsteinschätzung statt seines eigenen Namens einen attraktiveren einsetzte, der seinem wichtigen Werk mehr Erfolg bei den Menschen garantiert.

Die Antwort: »Timotheus« soll kein Name sein, sondern muß als »Ehre Gottes« übersetzt werden, die als Zweck der Schrift auch ihr Verfasser ist.

Anmerkung zur Lektüre: Das Zeichen * am Rand des Textes verweist jeweils auf eine *Bemerkung zur Übersetzung* bzw. zu den Fußnoten des Übersetzers; siehe S. 162.

DES TIMOTHEUS
VIER BÜCHER AN DIE KIRCHE

ERSTES BUCH

1. An der Habsucht der Christen ist die Kirche im Glauben verarmt

Timotheus, der geringste der Knechte Gottes, an die über den ganzen Erdkreis verbreitete katholische Kirche! Gnade und Friede sei dir von Gott, unserem Vater, und von Jesus Christus, unserem Herrn, mit dem Hl. Geiste! Amen.

Unter den mannigfachen schweren, tod- und verderbenbringenden Krankheiten, die dir jene alte, häßliche Schlange in erbittertstem Neid und tödlicher Eifersucht, mit dem furchtbaren Hauch ihres giftigen Rachens einflößt, gibt es wohl keine, die unter deinen Gläubigen *
ärgeres Unheil und unter deinen Kindern schrecklicheres Siechtum anrichtet als diese eine: Sehr viele der Deinen erachten es nicht für genug, daß sie in diesem Leben den ihnen von Gott zu heiligem Dienst übergebenen Gütern *
anhängen, ohne daß die Barmherzigkeit und die Nächstenliebe Gewinn davon hätten, nein, sie dehnen ihre Habsucht — und sie ist ein knechtischer Götzendienst! — auch in die Zukunft, in die Zeit nach dem Tode aus. Vielleicht blickst und spähst du nun fragend um dich, wo diejenigen von deinen Gläubigen denn seien, die ich da meine. Du brauchst nicht lange zu suchen, um sie zu finden. Alle, ja, so sag' ich, fast alle sind von meinem Vorwurf betroffen! Verschwunden und längst vorbei ist

ja jene herrliche, alles überragende, beseligende Kraft
der Frühzeit deines Volkes, da alle, die sich zu Christus
bekannten, den vergänglichen Besitz an irdischem Vermögen verwandelten in die ewigen Werte himmlischer
Güter; sie beraubten sich der Nutznießung am Gegenwärtigen im herrlichen Ausblick auf das Zukünftige; sie
erkauften unsterblichen Reichtum um einen Augenblick
der Armut. Und jetzt? Jetzt ist auf all dies gefolgt
Habsucht, Begehrlichkeit, Raubgier und — in enger Bun-
desgenossenschaft und beinahe leiblicher Schwestern-
schaft mit ihnen vereint — Neid und Haß und Grausamkeit, Verschwendung und Schamlosigkeit und Verworfenheit: jene ersteren streiten ja doch mit den Machtmitteln
der letzteren! Und so hat vielleicht dein äußeres Glück
gegen dich selbst gekämpft: je stärker sich deine An-
hänger mehrten, desto mehr wuchsen auch die Laster; je
mehr deine Macht zunahm, desto mehr nahm die Zucht
ab, und deine wirtschaftliche Blüte kam in Begleitung
innerer Verluste. Denn als sich die Masse der Gläubigen
vervielfachte, ward der Glaube selbst verringert, und
mit dem Wachstum ihrer Kinder wird die Mutter krank;
und so bist du, o Kirche, durch deine gesteigerte Frucht-
barkeit schwächer geworden, bist durch die Mehrung
zurückgesunken und hast an Kräften abgenommen. Gewiß: du hast über die ganze Welt hin die Glieder aus-
gesandt, die zwar dem Namen nach den Glauben haben,
aber keine Glaubenskraft; und so begannst du reich zu
werden an Scharen, arm am Glauben; und wurdest zwar
der Menge nach bereichert, verarmtest aber an Frömmigkeit, wurdest weiter dem Leibe nach, aber verküm-
mertest am Geiste, bist, möchte ich sagen, zu gleicher
Zeit in dir größer und in dir kleiner geworden — eine
fast nie dagewesene, unerhörte Art von Fortschritt und
Rückschritt in einem, indem du zugleich zunahmst und
abnahmst. Denn wo ist jetzt deine ehemalige wunder-
volle Gestalt, die Schönheit deines ganzen Leibes? Wo
gilt noch jenes Zeugnis der Heiligen Schrift, das da von

deinen lebendigen Tugenden rühmt: „Die große Zahl der Gläubigen war e i n Herz und e i n e Seele, und nicht einer nannte von dem, was er besaß, noch etwas sein"[1]? Von diesem Zeugnis — Gott sei es laut geklagt! — besitzest du nur mehr die geschriebenen Worte, nicht mehr die innere Kraft; nur mehr durch dein Wissen stehst du ihm nahe, im Gewissen stehst du ihm fern. Sind doch heute deine Kinder zum größten Teil Händler mit todbringender Ware, irdischen — nein! — teuflischen Krämern und Schankwirten gleich, und schachern mit Dingen, die selbst zugrunde gehen und andere zugrunde richten. Um Geldgewinn kaufen sie den Schaden am ewigen Leben; um fremdes Gut zu erwerben, verschwenden sie das eigene; der Erde überliefern sie ihre traurigen Schätze, die den Erben eine kurze Freude, den Stiftern einen langen Schmerz bringen werden; sie betrügen sich und andere um den wahren Nutzen dieses Daseins, wenn sie in tiefen Gruben ihren höllischen Reichtum bergen; graben sie doch so mit einem Mal ihr Geld und ihre Hoffnung ein nach jenem Wort unseres Herrn, das da sagt: „Wo dein Schatz ist, da ist auch dein Herz."[2] So sind sie neidisch auf ihr eigenes Heil und drücken die eigenen Seelen, die doch zum Himmel berufen sind, mit schweren irdischen Gewichten wieder zur Erde nieder. Der Sinn dessen nämlich, der sich einen Schatz errafft, folgt dem Schatze nach und wird gleichsam zur Natur eines irdischen Stoffes herabgemindert, jetzt sowohl wie in der Zukunft und immerdar. Denn da, wie geschrieben steht, dem Menschen gleichermaßen Leben und Tod zur Wahl   ٭ vorliegen und er nur die Hand nach dem auszustrecken braucht, was er will, ist die notwendige Folge, daß jeder einzelne Mensch in der Ewigkeit das besitzt, was er hier auf Erden gewissermaßen mit eigener Hand an sich genommen hat, und daß er, getreu seiner Wahl und seinem Willen, in alle Zukunft an Dinge in harter Pflicht gekettet bleibe, an die er sich hier in bloßer Lust gekettet hat.

[1] Apg. 4, 32.   [2] Matth. 6, 21.

2. Der Gebrauch des Reichtums entscheidet über die Sittlichkeit des Besitzens

Vielleicht aber wähnen sich manche von dieser Sünde frei, die da ihr Gold und ihr Vermögen zwar nicht in der Erde haben, es aber doch allenthalben versteckt halten. Täusche sich doch niemand mit lächerlichen Ausflüchten! Jeder, der in irdischem Begehren sich müht, seinen Reichtum zu vermehren, vergräbt auf alle Fälle sein Gold in der Erde. Das ist der Sinn des Heilandswortes im Evangelium: „Sammelt euch nicht Schätze auf der Erde!"[1] Und weiter: „Sammelt euch vielmehr Schätze für den Himmel!" Diese Gedanken lassen sich nicht bloß mit dem leiblichen Ohr verstehen. Denn legen wirklich alle Bösen ihren materiellen Reichtum auf der Erde und alle Guten den ihren im Himmel nieder? So ist es wahrlich nicht! So meint der wirkliche Sinn des heiligen Ausspruchs eben nur die Wirkungen und Kräfte von geistigen Vorgängen — etwa folgendermaßen: Insoferne Begierde und Habsucht irdischen und höllischen Lohn, Mitleid aber und Mildtätigkeit himmlischen und ewigen Lohn im Gefolge haben, wurde d e r Unterschied zwischen einem „irdischen" und einem „himmlischen" Schatz festgelegt, daß alle, die ihrer Begierde und Habsucht zuliebe Reichtümer erwürben, erkennen sollten, sie legten ihre Güter in der Hölle nieder; daß aber diejenigen, die aus Mitleid und Menschlichkeit Schätze sammelten, sich freuen könnten in der Vorbereitung ihrer himmlischen Güter; dorthin werden schon im voraus die Schätze verlegt, wo dereinst ihre Sammler sein werden.

3. Die Verurteilung der Habsucht gilt auch für Eltern, die für ihre Kinder zu sorgen vorgeben

Nun mag vielleicht ein solcher Spruch zu streng erscheinen, der alle gleichermaßen zur Vollkommenheit

[1] Matth. 6, 19. 20.

aufruft und alle unter e i n Gesetz zwingt, da doch nicht
alle in ein und derselben Lage leben. Ganz treffend
könnte man auf diesen Einwurf erwidern: Wenn alle das
ewige Leben haben wollen, so müssen wohl auch alle
danach streben, an diesem Leben teilzuhaben; ist es
doch ganz albern und töricht, wenn manche offensichtlich
gerade das, was sie nach Wunsch und Willen besitzen
möchten, nach ihrem Tun und Handeln nicht erreichen
zu wollen scheinen. Wenden wir uns aber trotzdem in
erster Linie dem Teil der Christen, deiner Kinder, zu,
der durch ganz bestimmte sachliche Hemmnisse und
durch die Fesseln einer, wie er glaubt, unüberwindlichen
Not von der Vollkommenheit abgezogen wird! Zunächst
gehören, glaube ich, zu diesem Teil diejenigen, die da
vorgeben, sie seien durch die Sorge für ihre Kinder,
durch die übermächtige Liebe zu ihren Nachkommen gezwungen, Geld zu erwerben und nach ausgedehntem
Güterbesitz zu trachten. Als ob jeder, der Vater ist, es
überhaupt nur dann und nur dann sein könnte oder
müßte, wenn er reich ist, und als ob keiner seine Kinder
lieben könnte ohne Vermehrung seines Reichtums, oder
aber als ob Habsucht und Gier Kraft und Mark der
väterlichen Liebe seien! Nach dem Glauben dieser Menschen könnte es ja, wie keinen Körper ohne Mark, so
auch keine Liebe ohne Habgier geben. Wenn dem wirklich so wäre, so wäre ja zweifellos jegliches fromme
Pflichtgefühl eine Ursache des Bösen; dann lägen in
diesem nicht die Keime einer liebevollen Gesinnung, sondern der Zündstoff zu Lastern verborgen. Und wo bliebe
der heilige, göttlich beglaubigte Ausspruch: „Frömmigkeit ist zu allem nütze"?[1] Denn nach d i e s e r Auffassung ist sie nicht nur nicht zu allem nützlich, sondern
fast für alles unheilvoll. Ist sie nämlich der Mutter-
boden für die Begierden, dann enthält sie viel mehr des
Übels in sich als des Guten; es sagt ja die Hl. Schrift:

[1] 1 Tim. 4, 8.

„Die Wurzel aller Übel ist die Habgier."[1] Wenn demnach
die Habgier die Wurzel aller Übel ist, diese aber wiederum
im Mutterschoß der Frömmigkeit gezeugt und gleichsam
mit ihrer giftigen Milch genährt wird, dann trifft der
Vorwurf weniger die Habgier, die aus der Frömmigkeit
geboren ist, als die Frömmigkeit selber, aus der eine
solche Tochter hervorgeht. Die Folge wäre — wenn die
Frömmigkeit so verderblich und so schädlich ist —, daß
man weder lieben noch geliebt werden dürfte; denn weder
dürften die Eltern nach einer Liebe trachten, die ihnen
schädlich ist, noch die Kinder nach einer Liebe verlangen,
die den Eltern zum Nachteil ist. Indessen brächte eine
solche Liebe nicht allein die Eltern, sondern auch die
Kinder in Krankheitsnot, weil diese ebenso auf denen
lastet, die verderbenbringendes Erbgut raffen, wie auf
denen, die, mitten in schändlichem Gelderwerb befangen,
zu schändlichen Erben herangezogen werden. So kommt
es, daß fast alle Söhne ihren Eltern weniger im Besitz
der elterlichen Güter als in den Lastern nachfolgen und
weniger das väterliche Vermögen als die väterlichen
Sünden übernehmen; immer gehen sie so zu den Sitten
der Väter über und besitzen früher deren Verworfenheit
als deren Habe. Denn die Güter der Eltern besitzen sie
erst, wenn diese tot sind; ihre Sitten aber schon, solange
sie noch leben und bei Kraft sind; ehe sie also die väterlichen Besitztümer in ihre Verwaltung bringen, haben sie
in ihrer Gesinnung die Väter selbst; und ehe sie das besitzen, was man fälschlich „Güter" heißt, besitzen sie
das, was in Wahrheit als schlecht erwiesen ist.

4. Wie Eltern ihre Kinder wahrhaft bereichern

Aber nun: Wenn dem so ist, scheine ich da nicht den
Eltern die Liebe zu den Kindern ganz zu verbieten?
Durchaus nicht! Denn was wäre so grausam, so un-

[1] 1 Tim. 6, 10.

menschlich, so gesetzeswidrig, als wenn wir sagten, es dürften die Kinder nicht geliebt werden, wenn wir uns doch zur Feindesliebe bekennen? Oder wenn wir die naturgegebene Liebe hemmen wollten, die wir sogar die von der Natur gehemmte Liebe üben? Oder wenn wir der Seele die Liebe entrissen, die sie schon hat, da wir ihr doch jene einpflanzen möchten, die sie noch nicht hat? Nein, es ist nicht so! Wir sagen vielmehr: Die Kinder dürfen nicht nur geliebt werden, sie müssen vorzüglich und über alles geliebt werden, und nichts darf ihnen vorgezogen werden außer Gott allein. Denn auch das ist eine vorzügliche Liebe, wenn man nur jenen den Kindern vorzieht, der nie und nimmer an eine spätere Stelle treten darf! Wie steht es also: Auf welche Weise sollen nach unserer Meinung die Kinder geliebt werden? Zweifelsohne nur so, wie Gott es selbst festgesetzt hat. Gibt es doch keine bessere Liebe zu den Kindern, als sie jener gelehrt hat, der die Kinder selbst geschenkt. Und besser können die Nachkommen nicht geliebt werden, als wenn sie in eben dem geliebt werden, von dem sie gegeben sind. Wie also sollen nach Gottes Befehl die Kinder geliebt werden? I c h sage es nicht; das göttliche Wort selbst soll es sagen, das zu allen Vätern gemeinsam spricht; sie sollen Gottes Gesetze ihren Söhnen überliefern, „damit sie auf Gott ihre Hoffnung setzen und nicht vergessen der Taten ihres Gottes und seine Satzungen befolgen".[1] Und anderswo heißt es: „Und, ihr Väter, erbittert eure Kinder nicht, sondern erziehet sie durch Unterweisung und Ermahnung des Herrn!"[2] Da seht ihr, was für Reichtümer auf Geheiß Gottes die Eltern den Kindern erwerben sollen! Nicht geldgefüllte Schränke, nicht Säcke, schwer vom goldenen Metall — sie haben zwar viel Gewicht, aber noch viel mehr Sünde in sich! —, nicht stolze, über hochgebaute Städte noch hinausragende Häuser, nicht Firste, deren Höhe der mensch-

[1] Ps. 77, 7. (In der Vulgata ist sui weggelassen.) [2] Eph. 6, 4.

liche Blick nicht mehr erreicht, noch Giebel, die — zum Wohnen in den Lüften — bis in die Wolken emporstoßen, nicht Ländereien ohne Grenzen, deren Größe sich sogar der Kenntnis des Besitzers entzieht, die es für eine Schande halten, wenn sie Genossen dulden müssen, und die eine Nachbarschaft für ein Unrecht halten. Also nicht derlei Dinge befiehlt Gott; nicht auf so niedrige Leistungen irdischer Geschäfte dehnt er die Pflicht väterlicher Fürsorge aus. Nur wenig ist es, was er gebietet, aber es ist heilsam; unbeschwert, aber heilig; karg an Worten, aber reich an Früchten; kurz im geschriebenen Satz, aber ewig durch die Beseligung. „Ihr Eltern", sagt er nämlich, „verärgert eure Kinder nicht, sondern erziehet sie in der Zucht und in der Mahnung des Herrn",[1] damit sie, wie der Prophet sagte, „damit sie auf Gott ihre Hoffnung setzen und nicht der Taten ihres Gottes vergessen und seine Satzungen befolgen". Sieh, solchen Reichtum liebt Gott, solche Schätze, fordert er, sollen für die Kinder aufgespeichert werden; ein solches Vermögen, will er, soll erworben werden: Glaube und Furcht Gottes, Demut und Unschuld und Zucht; nichts Irdisches, nichts Wertloses, nichts Vergängliches, nichts Hinfälliges — aber etwas Herrliches! Denn da er ein Gott der Lebendigen ist und nicht der Toten, hat er folgerichtig solche Dinge für die Kinder zu erwerben befohlen, durch die sie in Ewigkeit leben könnten, nicht solche, durch die sie in der Ewigkeit sterben müßten. Denn ohne Zweifel ist fast für alle bösen und ungläubigen Menschen weltlicher Reichtum mehr eine Ursache des Todes als des Lebens, wie der Heiland sagt: „Wie schwer werden diejenigen, die da Reichtümer besitzen, eingehen in das himmlische Reich!"[2] Und dann: „Leichter ist es, daß ein Kamel durch ein Nadelöhr gehe,

---

[1] Eph. 6, 4. Hier sagt Salvian: ad indignationem, oben: ad iracundiam, wie auch in der Vulgata steht.

[2] Mark. 10, 24. Salvian hat: Quam difficile hi, qui pecunias habent, introibunt in regna caelorum; in der Vulgata steht: Quam difficile est confidentes in pecuniis in regnum Dei introire.

als daß ein Reicher eingeht in das Himmelreich."[1] Daher
mahnt ein anderes Wort ganz besonders eindringlich:
„Sammelt euch nicht Schätze auf der Erde, sondern
sammelt sie im Himmel!"[2] Zwei Arten von Schätzen sind
es, die in den oben genannten und den folgenden Aus-
sprüchen aufgezeigt werden: die eine, wie die Väter ihre
Kinder, die andere, wie sie sich selbst bereichern können.
Wie ist es bei den Kindern? Sie sollen sie erziehen in
der Pflicht und der Furcht Gottes. Wie bei ihnen selbst?
Sie sollen sich Schätze sammeln im Himmel. Und zwar
auf ganz wunderbare Weise: Da das Geld vergänglich
ist, die Gottesfurcht aber unsterblich und so ziemlich alle
Eltern ihre Kinder mehr lieben als sich selbst, erwerben
sie sich hinfällige Güter, den Kindern ewige, und so
sorgen sie zu gleicher Zeit für die Erfüllung ihrer Eltern-
pflicht wie für ihr Seelenheil, wenn sie — eine doppelte,
eine unsterbliche Wohltat — durch das, was ewig ist,
ihre Kinder zu ewig Seligen machen, und wenn sie zur
Erwerbung der eigenen Seligkeit das von Natur Vergäng-
liche durch ihre guten Werke zu Ewigkeitswerten verwandeln. Warum erregst du dich also, väterliche Liebe?
Warum quälst du dich um irdische Güter, die ja doch
vergehen werden? Du kannst deinen Söhnen nichts
Größeres schenken, als daß sie durch dich jenes Gut besitzen, das sie niemals und nimmer verlieren können!
Nein, es ist wahrlich nicht nötig, daß du für deinen Sohn
irdische Schätze aufhebest; durch nichts machst du ihn
reicher, als wenn du gerade deinen Sohn selbst zu einem
kostbaren Besitz Gottes machst.

5. Besitz muß als Leihgabe Gottes begriffen werden

Obwohl dies alles sich nun so verhält und obwohl es
wahr und höchst heilsam ist, so möchte ich doch nicht

[1] Mark. 10, 25. Salvian: in r. caelorum, Vulg. in r. Dei.
[2] Matth. 6, 19. 20.

die Kinder von den Gütern und vom Vermögen der
Eltern gewissermaßen gänzlich ausschließen. Doch
wollen wir diese Frage später erörtern. Einstweilen von
etwas anderem! Es glauben welche, sie machten sich
keiner Sünde schuldig, wenn sie ihr Hab und Gut nicht
zu Ehren des Evangeliums, nicht zu ihrem Seelenheil,
nicht zu irgendeinem Dienst Gottes erwerben, sondern
es in ihrer treulosen Willkür irgendwelchen nächstbesten
Erben — auch gottlosen, auch begüterten — über-
schreiben lassen: eine schlechte, heidnische Gesinnung!
Wir wollen daher kurz betrachten, von wem das Ver-
* mögen selbst gespendet ist und warum es gespendet ist,
* auf daß wir, wenn wir erst einmal Urheber und Ursache
der Schenkung aufgezeigt haben, um so leichter beweisen
* können, wem es zurückgegeben und wozu es hingegeben
werden soll. Daß alles irdische Vermögen jedwedem
durch die göttliche Gnade geschenkt ist, daran zweifelt
wohl, wie ich glaube, kein Mensch, der überhaupt unter
die Zahl der Menschen gerechnet werden kann — es
müßte denn einer so voll der Weisheit sein, daß er
glaubt, die Welt selbst sei zwar dem Menschengeschlecht
von Gott gegeben, das aber, was in der Welt ist, sei nicht
von Gott gegeben. Wenn also Gott allen alles spendet,
ist es doch für niemand zweifelhaft, daß wir auch alles,
was wir von Gott zum Geschenk erhalten haben, zur
Ehre Gottes zurückerstatten und in seinem Dienste das
* verwenden müssen, was wir durch seine Milde zugewendet
erhalten haben. Denn das heißt die Gabe Gottes aner-
kennen, das heißt von den göttlichen Wohltaten richtigen
Gebrauch machen, daß man mit seinen eigenen Geschenken den ehrt, von dem man eben diese Geschenke empfangen hat. Das lehren ja schon Beispiele aus dem
menschlichen Leben. Wenn nämlich der Genuß irgend-
welcher Güter irgendeinem Menschen durch eines
anderen Menschen wohltätige Freigebigkeit zuteil wird
und dieser nun, uneingedenk des Gebers, von dem er

solchen Genuß erhalten hat, versuchen würde, das Eigentumsrecht an dem verliehenen Gut dem Eigentümer selbst
zu entwinden, es ihm zu entfremden — würde ein solcher
nicht als ganz undankbar, als ganz treulos gelten, der,
seines gebefreudigen Wohltäters vergessend, gerade den
seines Eigentums berauben wollte, der ihn selbst in den
Besitz des Ertrags gesetzt und so bereichert hat? Auch
wir haben nur den Ertrag von dem erhalten, was wir in
Händen haben; wir genießen das Vermögen, das uns von
Gott zur Verfügung gestellt ist, wir sind gewissermaßen
Besitzer auf Widerruf. Einmal, wenn wir aus dieser Welt
scheiden, müssen wir all das, ob wir wollen oder nicht,
hier zurücklassen. Wenn wir also nur Nutznießer unseres
Besitzes sind, warum versuchen wir das, was wir doch
nicht mitnehmen können, dem Eigentumsrecht des wirklichen Herrn zu nehmen und zu entfremden? Warum genießen wir nicht auf Treu und Glauben das uns von Gott
verliehene Gut? Wir hielten es fest, so lange es uns ver-
gönnt war, so lang es jener erlaubte, der es verlieh. Dann
aber: was ist richtiger, was edler, als daß der Besitz,
wenn das Gut schon den Nutznießer verlassen muß, zu
dem zurückkehrt, der einst den Nießbrauch verliehen
hat? Schließlich befiehlt das auch Gottes Stimme in der
Sprache der Heiligen Schriften, wenn sie jeden einzelnen
von uns mahnt: „Ehre den Herrn von deinem Vermögen!"[1]
und anderswo: „Zahle deine Schuld heim!"[2] Wie milde,
wie nachsichtig ist der Herr, unser Gott, daß er uns einlädt zur Ausgabe des irdischen Vermögens! „Ehre", sagt
er, „den Herrn von deinem Vermögen!" Obwohl es doch
ganz sein ist, was wir von ihm empfangen haben, so sagt
er, es sei unser, auf daß wir gäben; er spricht also von
unserem eigenen Besitz, damit der Lohn einer guten Tat
um so größer sei; denn notwendigerweise hat der Spender
dann mehr Gewinn, wenn die Spende scheinbar aus seinem
eigenen Besitz stammt.

[1] Sprichw. 3, 9.   [2] Ekkli. 4, 8.

6. Die Menschen müssen den empfangenen Reichtum zu guten Werken verwenden

Damit aber der menschliche Geist sich nicht etwa überhebe, weil der Herr dieses irdische Vermögen das unsrige genannt habe, fügt die Schrift bei: „Zahle deine Schuld zurück!" Das heißt: Wen die Gottesfurcht nicht zum Schenken triebe, den solle die Nötigung zum Bezahlen zwingen; und wen nicht die eigene Treue zum heiligen
* Dienst nötige, den solle wenigstens ein Zwang drängen. Zuerst heißt es: „Ehre Gott von deinem Vermögen", dann aber: „Zahle deine Schuld heim!" Das will heißen: Wenn du gottesfürchtig bist, gib es, als ob es dein sei; wenn nicht, zahle es heim, als ob es nicht dein sei! Sinnvoll sind so der freie Wille des Gebers und die Verpflichtung des Schuldners nebeneinander gestellt. Das will eben jedem Menschen so viel besagen: zum heiligen
* Dienst wirst du eingeladen durch ein mahnendes Wort und gezwungen durch eine rechtliche Forderung: gib, wenn du willst; willst du nicht, dann zahle heim! Auch der Apostel ermahnt und belehrt die Reichen, sie sollten nicht hochmütig werden und nicht auf die Unsicherheit des Reichtums, sondern auf den lebendigen Gott ihre Hoffnung setzen, „der", wie er sagt, „uns alles zum Genusse gibt in dem Willen zu guten Werken."[1] Mit e i n e m Wort lehrt er beides: wer den Reichtum spendet und warum er ihn spendet. Wenn er nämlich sagt, man müsse auf Gott hoffen, der alles schenkt, so zeigt er damit, daß man nur durch Gott reich werde; wenn er aber hinzufügt „mit dem Willen zu guten Werken", so lehrt er, daß jenes, was er als gottgegeben bezeichnet hat, nur um der guten Werke willen gegeben werde: „Er gibt alles in dem Willen guter Werke". Dies will sagen: Gott macht die Menschen wohlhabend und begütert zu dem Zweck, daß

---

[1] 1 Tim. 6, 17 f. Die Vulg. hat: ... non sublime sapere neque sperare in incerto divitiarum, sed in Deo vivo, qui praestat nobis omnia abunde ad fruendum. 6, 18: Bene agere, divites fieri in bonis operibus, facile tribuere, communicare.

sie reich seien durch gute Handlungen, daß heißt, daß
sie den empfangenen Reichtum und ihr Vermögen umwandeln, indem sie alles in guten Werken anlegen, und
daß sie die Gaben Gottes, die sie auf dieser Welt nur
für kurze Zeit haben, durch guten Gebrauch zu ewigen
machen; wenn sie so die Gnadengeschenke Gottes an-
erkennen, dann können sie sich eines doppelten Ge-
winnes freuen, indem sie schon auf dieser Welt reich
sind, aber auch verdienen, dereinst im Himmel reich zu
sein.

7. Nicht der Reichtum an sich, sondern falscher Gebrauch ist Sünde

In diesem Sinne also muß man sich den Reichtum
wünschen und nach ihm trachten, so ihn besitzen und
vergrößern. Dagegen wäre es eine unfaßbare Sünde, die
von Gott gegebenen Güter nicht richtig zu benützen; denn
„nichts", sagt die Heilige Schrift, „ist verwerflicher als
ein Geiziger";[1] und die schlimmste, die tödlichste Krank-
heitsart ist ein Reichtum, der zum Verderben seines
Herrn aufgespeichert ist. Ja, so ist es! Denn was ist
schlimmer, was trauriger, als wenn einer das gegenwärtige Gute in zukünftiges Übel verwandelt, und wenn
man gerade mit den Mitteln, die von Gott verliehen sind,
um mit ihrer Hilfe die Seligkeit des ewigen Lebens zu
erwerben — wenn man gerade mit ihnen ewigen Tod und
ewige Verdammnis erstrebt? Hier ist dann noch eines
zu beachten: Wenn schon überkommener Reichtum zum
Verderben des Menschen aufgehoben wird, um wieviel
größer muß das Verderben erst sein, wenn er aufge-
häuft wird! Denn wieviele von den heutigen Reichen
haben soviel Selbstbeherrschung, daß sie, mit der bloßen
Bewachung ihres Besitzes zufrieden, es verschmähten,
neuen aufzutürmen? O arme Zeit! O armes Kirchenvolk!
So weit ist es gekommen!

Während geschrieben steht, daß es eine Art großer

[1] Ekkli. 10, 9.

Sünde sei, am Reichtum festzuhalten, hält man es jetzt schon für eine Art Tugend, ihn nicht zu vermehren! Wie kann es also Menschen geben, die, wie wir oben sagten, sich nicht im geringsten schuldbelastet fühlen, wenn sie nicht einmal beim Sterben durch die Verteilung ihres Vermögens für sich sorgen, da sie doch schon deswegen schuldig sind, weil sie bis zum Tod alles aufgehoben haben? Oder wie sollen dereinst die nicht schuldig befunden werden, die ihr Vermögen in treulosem Wahn den nächstbesten Menschen überlassen, da doch schon jene schuldig sein werden, die nicht schon in diesem Leben sich eines Teils ihres Besitzes zur Ehre Gottes entäußert haben? Darauf weist ja unser Herr selbst hin, wenn er durch den Apostel spricht: „Wohlan, ihr Reichen, weinet über das Elend, das euch droht! Euer Reichtum verschwindet, eure Kleider werden eine Speise der Motten. Euer Gold und Silber verrostet, und deren Rost wird einst Zeugnis gegen euch sein und wie Feuer euer Fleisch verzehren. Ihr häufet Schätze in den letzten Tagen."[1] Abgesehen von jener Strenge der göttlichen Worte, die ganz geheimnisvoll bleibt und noch viel größer und schrecklicher ist, glaube ich, daß schon das Geoffenbarte allein hinreichen mag, um Furcht und Schrecken zu erwecken; denn der Apostel redet ganz im besonderen zu den Reichen. Er heißt sie wehklagen, er verkündet künftiges Unheil, er droht mit dem ewigen Feuer. Und dies — die Drohungen werden dadurch noch furchtbarer — nicht wegen Menschenmords, nicht wegen Unzucht, nicht wegen frevlerischen Gottesraubs und anderer Laster, die zuletzt mit tödlichem Schwert die Seelen morden und in den ewigen Tod stürzen, — nein: einzig und allein wegen des Reichtums, wegen der krankhaften Gier, wegen des Hungers nach Gold und Silber,

---

[1] Jak. 5, 1—3. Die Vulgata hat agite statt age (so auch der Bern.), nach plorate hat sie ululantes (gr. κλαύσατε ὀλολύζοντες); ferner hat sie thesaurizastis und danach vobis iram (gr. nur ἐθησαυρίσατε).

um zu zeigen, daß dies für den Menschen schon genüge
zur Verdammnis, auch wenn keine andere Schuld vor-
läge! Kann etwas einfacher und deutlicher gesagt werden? Es wird dem Reichen nicht zugerufen: Du mußt
gepeinigt werden, weil du ein Menschenmörder, weil du
ein Hurer bist, sondern du mußt gepeinigt werden nur
darob, weil du reich bist, das heißt, weil du von dem
Reichtum schlechten Gebrauch machst, weil du nicht ein-
sehen willst, daß dir dein Reichtum zu heiligem Dienst *
verliehen ist! Denn nicht der Reichtum an sich ist schädlich, sondern die Gesinnung derer ist verwerflich, die ihn
falsch benützen; nicht der Besitz selbst ist für den Menschen der Grund zur Strafe, sondern die Reichen schaffen
sich aus ihrem Besitz die Strafen, weil sie gerade ihren
Reichtum in ihre Qual verwandeln, wenn sie den Reichtum nicht richtig gebrauchen wollen. „Ihr häufet Schätze",
heißt es, „in den letzten Tagen." Ganz mit Recht ist an
das Wort „ihr häufet Schätze" noch angefügt: „in den
letzten Tagen". Die Schuld der Geldraffer sollte noch
größer sein, wenn sogar die letzten Augenblicke der Welt
die schmähliche Sucht nach Reichtum vergrößern! „Ihr
häufet Schätze", heißt es, „noch in den letzten Tagen".
Mit den „Schätzen" wird die Habgier, mit den „letzten
Tagen" die Treulosigkeit angeklagt. Und so ist es eine
doppelte Sünde, der Habgier und der Treulosigkeit, weil
es ja stets, auch zu anderen Zeiten, ein Vergehen war,
Reichtümer zu begehren, nach dem Wort Gottes: „Du
sollst nicht begehren!"[1] — weil es aber ohne Zweifel
noch ein größeres Vergehen ist, gerade aus Treulosigkeit
noch am Ende der Welt Besitz anzuhäufen.

8. Die Forderung, das Vermögen beim
Sterben Gott zu hinterlassen, bedeutet
nicht eine Härte, sondern einen Versuch
der Rettung

Mancher mag meine Rede bis hierher als zu hart be-
urteilen. Und sie ist wirklich hart, wenn sie irgendeine

[1] Exod. 20, 7; Röm. 7, 7.

Mahnung nicht auf Grund heiliger Zeugnisse ausgesprochen hat; sie mag aber nur als hart g e l t e n , wenn
sie nur solches enthielt, wie es der Apostel hier ver-
kündigte. Wir wollen ja gar nicht jenes Wort des Herrn
hinzufügen, durch das er alle jene als seiner nicht würdig
erklärte, die nicht auf all ihren. Besitz verzichteten.
Müssen da nicht, von hier aus gesehen, unsere Worte für
ganz nachsichtig und milde gehalten werden, da wir doch
für die Menschen, denen wir schon nicht vollkommene
Schuldlosigkeit zusprechen können, wenigstens eine
Rettung ihres verspielten Heiles aufspüren, und da wir
versuchen, wenigstens die Todesstunde jener zu er-
leichtern, deren Leben wir nicht heilen können? Denn
was ist vollkommene Gesundheit? Was anderes als gute
Taten in diesem Leben? Was ist Heilung in letzter
Stunde? Was anderes als die Erlangung eines guten
Reisegelds in den letzten Zügen? Was ist vollkommene
Gesundheit? Was anderes als der richtige Gebrauch der
von Gott verliehenen Güter? Was ist das letzte Heilmittel? Was anderes als ganz spät noch das zu tun,
was einen reut, nicht früher getan zu haben? Ja, hart
mag einer meine Worte heißen; und für hart, ja für ganz
hart mögen sie gelten, wenn sie nicht so sind, daß sie
im Vergleich mit der Strenge des Apostelworts noch
milde und sanft erscheinen. Denn der Apostel ruft die
* Reichen zur Wehklage auf wie zur Heilung; der Apostel
nennt den Reichtum ein Feuer; wir möchten aus dem
Reichtum ein Wasser machen, das das Feuer löscht nach
dem Wort: „Wie das Wasser das Feuer löscht, so das
Almosen die Sünde."[1] Nach des Apostels Zeugnis liegt
in den zu Unrecht aufgespeicherten Schätzen die Verdammnis; ich aber möchte aus dem, was nach seinem
Wort allen den ewigen Tod bringt, noch das ewige Leben bereiten. Freilich nicht so, daß ich glaubte, es reiche
für einen in Fleischessünden verstrickten Menschen zum

[1] Ekkli. 3, 33. Vulgata: ignem ardentem extinguit aqua et
eleemosyna resistit peccatis.

ewigen Leben hin, wenn er bis an die Schwelle des Todes in Sünden gealtert, beim Sterben noch richtig ver-
fügt über alles, ohne daß er vorher seinen Lastern ent-
sagt, das schmutzbefleckte Gewand der Schuld abgeworfen und dafür das neue Kleid der Bekehrung und
Heiligung aus der Hand des also mahnenden Apostels
empfangen hat. Hört doch wirklich derjenige nicht auf
zu sündigen, den in den letzten Zügen nur die Unmög-
lichkeit, nicht sein Wille zwingt, von der Sünde abzu-
stehen! Denn wer sich von seinen schlimmen Taten erst
mit dem Tode trennt, der verläßt nicht seinen Frevel, sondern wird von den Freveln verlassen; auf diese Weise ist
er nur durch die Not von den Lastern abgesondert und
sündigt auch dann, wenn sie ausgeblieben sind, weil, we-   *
nigstens der Gesinnung nach, doch der noch nicht zu sündigen aufgehört hat, der es noch wollte, wenn er könnte.
Der stützt sich also nicht auf eine sichere Hoffnung, der
nur mit d e m Ziel im Leben sündigt, daß er im Tod
seiner Sündenlast ledig werde, und deshalb glaubt, der
Strafe zu entrinnen, nicht weil er gut, sondern weil er
reich ist. Als ob Gott nicht das Leben der Menschen
begehrte, sondern ihr Geld! Als ob er von allen, die
sich mit der falschen Hoffnung tragen, sich vom Unheil   *
loskaufen zu können, für ihre Verbrechen nur ihre Sil-
berlinge nähme und nach Art bestochener Richter forderte, um die Sündenschuld zu tilgen! So ist es nicht!
Gewiß nützt Freigebigkeit sehr viel; aber nicht denen,
die mit einer ganz fernen Hoffnung auf ihre künftige
Wohltätigkeit ein schlechtes Leben führen, die im Vertrauen, dereinst ihre Entschuldung erkaufen zu können,
ihre Frevel begehen, sondern nur denen, die von der
Haltlosigkeit der Jugend oder vom Nebel des Irrtums
oder vom Fehler ihrer Unwissenheit oder schließlich
von den schlimmen Neigungen der menschlichen Ge-
brechlichkeit getragen, endlich doch zur Einsicht zu
kommen beginnen, gleichsam wie nach der Todesnot
einer ganz schweren Krankheit oder wie nach dem Jam-

mer einer Geistesgestörtheit; wie wahnsinnige Menschen
nach der Raserei wieder zum Bewußtsein zurückkommen,
so kehren auch diese nach dem Irrtum wieder heim
— nur dadurch voneinander verschieden, daß jene sich
freuen, wenn sie der Krankheit entronnen sind, diese
aber trauern, wenn sie die Gesundheit wieder erlangt
haben. Und das mit Recht! Denn jene sind um so be-
glückter, je mehr an Gesundheit sie wiedererlangt zu
haben fühlen; diese aber geraten um so mehr außer Fas-
sung, je deutlicher sie die Krankheit ihrer Verirrung
erkennen. So kommt es in notwendiger Folge, daß
jene jubeln und diese trauern, weil jene ihre Krankheit
nur dem Wechsel ihres Zustandes, diese aber ihre Verirrung sich selber zuschreiben; und so sind jene froh
über ihre Heilung, diese verängstigt ob ihrer Schuld.

9. Erste Pflicht des Sünders ist die Abkehr von der Sünde, und zwar nicht erst an der Schwelle des Todes

Daher ermahne ich alle, besonders aber diejenigen,
die das schreckliche Bewußtsein schwerer Vergehen pei-
nigt, und die in ihrem unglücklichen Gewissen unter
der Erinnerung an strafwürdige Sünden seufzen — ich
ermahne sie zunächst, sie möchten, wenn sie schon gefallen sind, nicht in ihrem Falle verharren und nicht
in ihrem Morast liegen bleiben wie die schmutzigen
Schweine, die, wenn sie einmal ihren erhitzten Bauch
in die Pfütze eingetaucht haben, erst dann genug bekommen an ihrem schlammigen Vergnügen, wenn sie
sich mit allen ihren Gliedern im Kote wälzen können. Nein: die Menschen sollen nicht die diesen Tieren
angeborene Schmutzigkeit nachahmen; sie sollen sich
nicht beruhigen bei ihren ins Unheil lockenden Sünden; sie sollen nicht im Abgrund ihrer Lüste verweilen
und sich in ihrem eigenen Verderben begraben; sondern
sie sollen sofort, wenn sie gefallen sind, wieder aufstehen

und unverzüglich, schon beim Sturze, an die Erhebung
denken; und wenn es durch eine schnelle Reue nur
irgendwie möglich ist, soll die Heilung des sich er-
hebenden Sünders so rasch vor sich gehen, daß kaum
mehr eine Spur des Sturzes sichtbar ist. So ist es denn
in solcher Lage der erste Schritt zur Gesundung, daß
die Leidenden ihre Krankheit verabscheuen, daß die
Verletzten sich beeilen, ihre Wunden zu heilen, und die
Verwundeten raschestens die Pfeile aus ihrem Körper
herausreißen. Am besten legt man ja den Umschlag
oder die Naht an eine noch warme Wunde; und das
klaffende Fleisch schließt sich schneller, wenn es nicht
lange offen gelassen wird. Und wenn ein Geschwür am
Körper in Fäulnis übergeht, dehnt es sich überallhin aus;
und wenn erst auf eine Wunde der Krebs folgt, dann
folgt notwendig auf den Krebs auch das Ende. Daher
müssen die Sünder zuerst diese Übel fliehen und dürfen
dem Teufel keinen Raum gönnen, auf daß er, der die
Stehenden zum Falle brachte, die Gefallenen auch noch
in den ewigen Tod stürze. Freilich, wenn die Gewalt
der Krankheit so mächtig oder die Sorglosigkeit der
Kranken so groß ist, daß sie den Verfall der Gesundheit immer weiter, bis in die letzten Lebenstage, hinaus-
zieht, dann weiß ich nicht mehr, was ich sagen, und
erst recht nicht mehr, was ich versprechen soll. Die
Gefährdeten von der Suche nach der allerletzten Hilfe
abhalten, wäre hartherzig und frevelhaft. Irgend etwas
aber bei so später Behandlung versprechen, wäre toll-
kühn. Und doch ist es zweifellos immer noch besser, daß
sich auch die von langer Auszehrung verdorrten Hände
noch mit einem Funken Kraft zum Himmel erheben, als
daß sie sich für immer in voller tödlicher Verzweiflung
auflösen; es ist besser, nichts unversucht zu lassen, als
beim Sterben sich um nichts zu kümmern, vor allem,
weil ich ja nicht weiß, ob es nicht doch eine Hilfe bedeutet, im letzten Augenblick etwas zu versuchen, weil
ich aber gewiß weiß, daß nichts versuchen das Verderben

bedeutet. Und auch das eine weiß ich, daß keinem, der
das Ende seines Seelensiechtums bis zu dieser Unglücks-
stunde hinausschiebt, gesagt werden kann, wieviel Reue-
tränen er für seine Fehler schuldet, weil er ja nie seine
Fehler erkannte.

10. Spätestens auf dem Sterbebett muß man sein Vermögen Gott zurückgeben

Aber was wird in all dieser Zeit geschehen? Wann
wird der trauern, der die Tage zur Trauer verschwendet
hat? Wann wird der genugtun, der die Zeit zur Genugtuung verloren hat? Natürlich: er wird zu langen Fasten
seine Zuflucht nehmen. Und das bedeutet auch etwas,
wenn sich das Almosen hinzugesellt, nach dem Wort:
„Gut ist Fasten mit Almosen."[1] Aber wie kann ihm eine
lange Buße noch zu Hilfe kommen, wenn er in den
letzten Zügen liegt? Doch dann wird er mit einem
härenen Gewand sein Fleisch wundreiben und es mit
Staub und Asche entehren, auf daß natürlich die Härte
und Rauheit dieser Bußübungen in der Gegenwart die
Verweichlichung und die Vergnügungssucht der Vergangenheit aufwiege und auf daß er die Schuld des
langen Freudentaumels zurückzahle mit der notwendigen Selbsterniedrigung, die ihn nun schützen soll.
Aber wann wird er dies große Werk vollbringen, wenn
er durch den nahen Tod auch schon an der gering-
fügigsten Handlung gehindert ist? Endlich wird die
Strenge als Glaubensrichterin den an seinem Leibe
schuldig gewordenen Menschen unter das Kreuz ver-
schiedener Unbilden und Entbehrungen beugen, natürlich zu dem Zwecke, um die Gnade ewiger Strafbefreiung
durch freiwillige Selbstbestrafung in diesem Leben zu
verdienen. Aber wo wird die urteilfällende Seele ihres
strengen Amtes walten können, wenn der Körper schon

[1] Tob. 12, 8. Vulgata: Bona est oratio cum ieiunio et eleemosyna magis quam thesauros auri recondere.

ermattet? Denn kein Richter kann ein hartes Urteil vollstrecken, wenn der Schuldige das Urteil zu tragen nicht mehr fähig ist. Es gibt also nur ein einziges Mittel, das nach dem Verlust aller Hilfe, aller Zuflucht dem in der Not der Verlassenheit bangenden Menschen Beistand bieten könnte; er soll sich zu jenem heiligen und heilsamen Rat des Gottesmannes Daniel flüchten: er wollte den König von Babylon heilen und legte auf die aus seinem Zorn gewachsenen Geschwüre die lindernde Salbe der Erbarmung: „Laß dir daher, o König, meinen Rat gefallen und mache dich frei von deinen Sünden durch Wohltätigkeit und von deinen Missetaten durch Mitleid mit den Armen: vielleicht wird der Herr dann Geduld haben mit deinen Verfehlungen."[1] So soll auch der Mensch handeln, wie der Prophet gesagt hat. Er soll das Heilmittel, das hier einem andern angeboten ist, für s e i n e Wunden anwenden, in Furcht soll er gedenken des Beispiels schmählich gestraften Ungehorsams; er soll erwägen, was er selbst dereinst im Tode erleiden würde, wenn er sieht, was der assyrische König im Leben ertragen mußte. An ihm hat er ein Vorbild des Hochmuts und der Auflehnung. Er soll sich überlegen, ob er selbst, falls er nicht gehorcht, nach dem Sterben entrinnen wird, wenn er sieht, daß jener König, der auch nicht gehorchte, im Leben schon sich selbst verloren hat. So möge er denn doch wenigstens noch auf dem Sterbebette zur Befreiung seiner Seele von den ewigen Strafen, weil er schon nichts anderes mehr kann, sein Vermögen opfern; aber er opfere es in Zerknirschung und in Tränen, in Betrübnis und Schmerz. Denn anders ist ein Opfer zu nichts nütze, da es nicht durch seinen Wert, sondern durch die Liebe angenehm ist. Und nicht empfiehlt sich die Gesinnung des Gebers durch die Gabe, sondern die Gabe durch die Gesinnung des Gebers;

---

[1] Dan. 4, 24. Vulgata: Quam ob rem, rex, consilium meum placeat tibi, et peccata tua eleemosynis redime et iniquitates tuas misericordiis pauperum: forsitan ignoscet delictis tuis.

nicht empfiehlt das Geld den Glauben, sondern der Glaube
das Geld! Wer also will, daß ihm nütze, was er Gott darbringt, der bringe es auf die Weise dar, wir wir sagten.
Es ist ja nicht der Mensch, der Gott mit dem, was er
gibt, eine Wohltat erweist; sondern Gott tut es dem
Menschen mit dem, was er empfängt, weil auch das,
was der Mensch hat, ein Geschenk seines Herrn und
Gottes ist. Und so gibt der Mensch mit dem, was er
opfert, zurück, was nicht sein ist; und der Herr nimmt
entgegen, was sein ist. Wenn deshalb jemand Gott sein
* Vermögen darbringt, so bringt er es nicht sozusagen mit
den großen Hoffnungen eines Schenkenden, sondern in
der Demut eines Zurückzahlenden; dann glaube er nicht,
daß er seiner Sündenlast ledig werde, sondern daß er
sie nur erleichtere; dann opfere er nicht im Vertrauen
auf seine Erlösung, sondern mit dem Pflichtgefühl eines
armen Bittstellers, und nicht, als ob er nun die ganze
Schuld zurückzahle, sondern als ob er nur ein kleines
Stück der großen Schuld begleichen wolle; denn wenn
er auch hingibt, was er nach dem Maßstab seiner Verhältnisse besitzt, so erstattet er doch nicht, was er nach
der Größe seiner Sünden schuldet. So mag er opfern,
aber zugleich zu Gott flehen, daß sein Opfer wohlgefällig
sei, und das Unglück beklagen, daß er das Opfer so
spät bringt, es beklagen und bereuen, daß es nicht früher
geschah. So wird vielleicht nach dem Wort des Propheten Gott seinem Vergehen gnädig sein.

11. Der Mensch muß Gott alles, was er besitzt, darbringen, weil er Gott alles schuldet

Doch sagt da jemand: soll der Mensch denn alles
Gott darbringen, was er besitzt? Nein, er soll nicht seinen ganzen Besitz opfern, wenn er glaubt, er schulde
nicht alles, was er hat. Ich frage nicht, wessen Eigentum
das Dargebrachte sei, aus wessen Hand es früher emp-

fangen worden ist, was zurückgegeben wird: ich sage nur, der Mensch solle nicht das Ganze als seine Schuld zurückzahlen, wenn er nicht das Ganze als Entgelt für seine Vergehen zu schulden glaubt. Also muß er, spricht wiederum einer, und sogar ein Sünder, doch alles opfern? Nein, nichts muß er opfern, außer im Glauben, nichts, außer in innerer Umkehr, nichts, außer mit flehentlicher * Bitte, nichts, außer wenn er im Geiste gerade d i e Gnade zu den vorzüglichsten Wohltaten Gottes rechnet, daß er ihm den Gedanken des Opferns eingab, und wenn er glaubt, daß ihm mit dem, was er Gott hinterläßt, mehr erwiesen wird, als mit dem, was er vorher besaß. Denn das, was ein Mensch besitzt, ist zeitlich; was aber Gott hinterlassen wird, ist ewig. Alles, sagt einer, muß man opfern? Ich aber sage, daß dieses Alles noch zu wenig ist! Warum? Weiß denn einer, ob sein Opfer das Maß seiner Sünden ausgleicht? Weiß denn einer, ob er im Werk seiner Wiederversöhnung gerade so weit ge- kommen ist wie im Zwiespalt der Trennung? Ja, wenn * einer von den sündigen Menschen weiß, wie teuer er seine Verfehlungen loskaufen kann, dann kann er seine Wissenschaft gebrauchen zu seiner Erlösung. Wenn er es aber nicht weiß, warum soll er nicht alles opfern, was er kann? Wenn er seine Sünden schon nicht durch die Höhe des Wertes aufzuwiegen vermag, mag er sie so wenigstens durch die fromme Gesinnung aufwiegen. Denn nur der zeitigt eine vollendete Frucht seines Ge- wissens, der im Gewissen keine Makel zurückläßt. Nun werden sicher einige unsere Ansicht als allzu hart, als maßlos beklagen, vor allem, weil der von uns angeführte Prophet den König von Babylon nur dahin zu ermahnen scheint, daß er viel verschenke, nicht daß er alles aus- teile. Indessen bringe ich keine Zeugnisse des Evan- geliums vor und nehme meine Zuflucht nicht zur Stimme Gottes, der dort spricht; ich spreche auch nicht davon, daß ein anderes Gebot im alten, ein anderes im neuen Gesetz stehe. So sagt ja auch der Apostel: „Das Alte ist vergangen, alles ist neu geworden; alles aber aus Gott."[1] Damit will er lehren, man müsse nicht das Alte nach dem Buchstaben, sondern das Neue nach dem Willen Gottes tun. Doch ich will mich ganz mit dem bescheiden, was der Prophet sagte. Er hielt ja seine Zwiesprache mit einem König, und zwar nicht mit dem König einer Stadt, sondern, wie es damals erschien, der ganzen bekannten Welt; und der konnte doch nicht die von ihm beherrschten Völker durch ein Testament den Armen überlassen, konnte nicht seine barbarischen Nationen wie Münzen den Bedürftigen schenken, konnte nicht sein weitausgedehntes Reich in Almosen für die Armen verwandeln. Daher sagte der Prophet nur: „Kaufe dich los von deinen Sünden durch Mitleid!" Das heißt: Gib den Bedürftigen Gold, da du ja dein Königreich doch nicht geben kannst! Verteile dein Vermögen, weil du deine Macht nicht als Vorschuß geben kannst! So hat er offenbar doch befohlen, alles hinzugeben, wenn er dem König nur das nicht zu verteilen befahl, was dieser nimmer verausgaben konnte.

12. Wir können das Maß dessen, was wir Gott für unsere Sünden schuldig sind, nicht erkennen

Vielleicht aber übertreiben wir den Gegenstand durch unsere Worte und machen zuviel Aufhebens von ihm. Wollen wir also sehen, wie es eigentlich bestellt ist! Es heißt: „Kaufe deine Sünden los durch Mitleid!" Was heißt „etwas loskaufen"? Ich denke doch: den Preis der Dinge bezahlen, die losgekauft werden. Ich frage nun nicht, welches die Sünden jenes Königs gewesen sind; er soll selbst wissen, um wieviel er seine Taten loskaufen mußte. Zu dir spreche ich, um dessen Sache es geht; dich rede ich an, dessen Schicksal sich entscheidet! Du sollst das tun, was der Prophet befahl: „Kaufe

[1] 2 Kor. 5, 17 f. Vulgata: vetera transierunt: ecce facta sunt omnia nova; 18: omnia autem ex Deo.

deine Sünden los durch Mitleid!" Hinterlasse Gott nicht
so viel, wie du besitzest, wenn du deinen Besitz zum
Ausgleich deiner Sünden nicht für notwendig hältst?
Berechne ganz sorgfältig jede Schuld, die du auf dich
geladen! Berechne das verschiedene Gewicht der Sünden: sieh zu, was du schuldest für deine Lügen, was für
deine Flüche und falschen Schwüre, was für deine unnützen Gedanken und unsauberen Reden, was endlich
für jede Regung eines bösen Willens! Und dann füge
hinzu — wenn irgendeines von den Lastern dein Gewissen belastet, von denen der Apostel spricht,[1] Ehe-
bruch und Unzucht, trunkene Schamlosigkeit, gottver-
haßte Unreinheit, götzendienerischer Geiz — und nach
all dem vielleicht noch Verbrechen, bei denen Men-
schenblut geflossen ist! Und wenn du die Zahl von all
diesen Sünden ausgerechnet hast, dann wäge den Preis
der einzelnen ab! Und daraufhin verlange ich nicht mehr,
daß du alles Gott übergibst, was du besitzest; nein, gib
nur das zurück, was du schuldest! Nach all dem füge
ich aber nur noch das eine hinzu: Wenn du deine Vergehen dir vor Augen geführt und sie abgeschätzt hast,
wirst du umso viel mehr für deine Übeltaten schulden,
je weniger du deine Sünden wertest; denn — so heißt
es — „wer sich einbildet, etwas zu sein und ist nichts,
der verführt sich selber".[2] Ich will dir nicht lange er-
zählen, daß jener König noch länger leben sollte und
wahrscheinlich ein junger Mann war; und es ward ihm
doch befohlen, seine Sünden durch Mitleid loszukaufen:
Du aber schuldest umsomehr für dich, als du dies erst
beim Sterben oder in der Erwartung des Sterbens tust.
Denn wahrlich, etwas Großes muß jene Mildtätigkeit
und Frömmigkeit sein, die das ausgleichen könnte, was
du erst dann deinem Herrn zurückerstattest, wenn du
es schon nicht mehr besitzen kannst, zumal zu all dem
hinzukommt, daß der Prophet selbst, der jenen König

[1] Gal. 5, 19 f.
[2] Gal. 6, 3. Vulgata: nam si quis existimat se aliquid esse.

zum Loskauf seiner Vergehen aufruft, ihm durch das,
was er als notwendig befiehlt, nicht so sehr die sichere
Verzeihung in Aussicht stellt, als vielmehr einen Weg
zum Suchen des Heils zeigt. Denn wenn er sagt: „Kaufe
deine Sünden los durch Mitleid, vielleicht wird dann
Gott mit deinen Fehlern gnädig sein", so kündigt gerade das Wort „vielleicht" nur eine Hoffnung an, ohne
eine Gewißheit zu versprechen. Daraus läßt sich ersehen,
wie schwer es für die schon in den letzten Zügen liegen-
den Sünder sein muß, durch Mildtätigkeit noch die voll-
ständige Vergebung zu erlangen, wenn der Prophet
selbst, der zum Streben nach der Erbarmung Gottes rät,
es doch nicht wagt, die sichere Gewährung zu versprechen. Er rät zu einer Handlung, zweifelt aber doch
an ihrem Erfolg; er will ein Mahner sein zu gutem Tun,
nicht ein Gewährsmann für die glückliche Wirkung dieses Tuns, und warum? Alle Sünder müssen für sich
wenigstens in den letzten Augenblicken alles versuchen,
auch wenn sie die Erfüllung ihrer Hoffnung nicht vor-
aussetzen dürfen. Denn wenn jener Prophet dem König
nur auf Grund wohltätiger Werke keine vollkommene
Verzeihung versprechen kann, so kann auch der Sünder, der die Reue über seine Irrungen nicht geübt hat,
ersehen, welch ungeheuere, welch reiche Mildtätigkeit
derjenige in den letzten Augenblicken des Lebens be-
zeigen muß, der vom Herrn durch allzu späten Opfersinn
das erhalten möchte, was er sich durch das Gesetz nicht
mehr aneignen kann.

ZWEITES BUCH

1. Die heiligmäßig lebenden Menschen sind wie alle anderen zur Wohltätigkeit verpflichtet

Wir sprachen von den Heilmitteln für die Sünden oder vielmehr von der Hoffnung auf solche Heilmittel und von der Vertröstung auf sie, und sagten, es sei der erste Schritt zur Erlangung des Heils, daß der Sünder seinen Irrtum bereue, dann, daß er nach der Heiligen Schrift sofort seine Sünden durch Mitleid loskaufe, und endlich, wenn er dies nicht getan haben sollte, daß er wenigstens im Sterben nichts unversucht lasse, um sich noch durch eine allerletzte Hingabe seiner Güter zu Hilfe zu eilen. Vielleicht aber kann hier folgendes entgegengehalten werden: Wenn die sündhaften Menschen an diese Notwendigkeit des Loskaufs ihrer Sünden gebunden sind, dann sind die heiligmäßigen, die frei von Sünde sind, zweifellos nicht gebunden; und folglich haben diejenigen keinen zwingenden Grund, ihr Vermögen zu verschenken, die nichts haben, was sie durch Mildtätigkeit loskaufen müßten. Ich höre diesen Einwand; wir werden aber später sehen, wie sich dies verhält. Nur soviel einstweilen: Liegen auch keine vergangenen Übeltaten vor, die der heiligmäßige Mensch mit seiner ganzen Habe loskaufen müßte, so gibt es doch ewige Güter, die er um hohen Preis erwerben soll. Aber darüber später ausführlicher! Jetzt aber behaupte ich ganz freimütig und fest das eine: Es gibt nie und nirgends einen heiligmäßigen Menschen, der nicht in vielem Gottes Schuldner wäre; und daraus folgt, daß auch er

alles, was er seinem Herrn gibt, weniger verschenkt als
vielmehr zurückzahlt. Um zunächst von den Wohltaten
ganz im allgemeinen zu reden: wer du auch seiest, einer
von den Frommen oder einer von den Reichen, zu aller-
erst bist du durch das Wohlwollen und durch das freie
Geschenk Gottes geboren und ernährt und erzogen worden; du bist mit den zum Leben notwendigen Mitteln
ausgestattet, mit den nicht notwendigen bereichert worden; Gott, dein Herr, hat dir mehr zum Genuß gespendet,
als es das unbedingte Maß erfordert; er hat seine Gna-
den weit über das hinaus, was du hoffen durftest, er-
streckt, ja — das Größte und Seltenste — seine Gaben
haben sogar deine Wünsche übertroffen. Zu alldem füge
ich hinzu, daß dieser dein Herr, der dich am Anfang
durch seine Gnade ins Leben rief, dich später durch sein
Leiden gerettet hat, daß deinetwegen, o Mensch — der
du nur Staub und Kot bist, nein, nur ein ganz winziger
Teil von Staub und Kot —, daß deinetwegen der Herr des
Weltalls auf die Erde niederstieg, gleichermaßen aus
dem Fleische und im Fleische hervorging, daß er sich
erniedrigte, herab bis zur beschämenden Menschwer-
dung, bis zum Schmutz der Windeln, bis zur Armselig-
keit der Krippe, daß er all den unwürdigen Zwang dieses
Daseins, das Essen, das Trinken, auf sich nahm, dazu
den traurigen Wechsel von Wachsein und Schlafen und
all die schmählichen Notwendigkeiten dieses vergänglichen Erdenwandels, ja sogar das Umgebensein von un-
flätigen Mitmenschen, Leuten, über und über bedeckt mit
dem Schlamm ihrer Sünden, beladen mit den Untaten
eines schlechten Gewissens, die den eklen Geruch ihrer
Schändlichkeiten ausatmeten und so nicht fähig waren,
die himmlischen Lehren zu begreifen und den Strahl der
Himmelsflamme zu ertragen, weil die durch die Sünde
verfinsterten Augen der Glanz des göttlichen Lichtes
blendete. Und das genügt noch nicht: zu all dem kommt
hinzu der freche Widerspruch des übermütigen Volkes,
kommen die Beschimpfungen, die Schmähungen, kommt

die gottlose Verfolgung und das falsche Zeugnis, das grausame Gericht und der Hohn der Menge, kommen das Anspeien, die Schläge, kommen die bitteren Leiden und die Erniedrigungen, bitterer noch als die Martern, die Dornenkrone, der Essigtrank, die Speisung mit Galle — und endlich der von den Menschen verurteilte Herr der Welt, das am Kreuzesholz hängende Heil des Menschengeschlechtes, ein Gott, der da auf Grund irdischer Satzung stirbt!

2. Die Schuld der Gesamtheit mindert nicht die Schuld des einzelnen

So ist dies alles: Und sagt mir alle, die ihr heiligmäßig seid oder euch für heiligmäßig haltet, sagt mir doch, ob dies allein schon gutgemacht werden kann, auch wenn sonst nichts mehr geschuldet würde? Was auch der Mensch um Gotteswillen trägt, nimmermehr kann das bezahlt werden, was Gott um des Menschen willen gelitten hat; denn selbst, wenn sich das Dulden nicht durch die Art der Leiden unterschiede, so muß doch ein großer Unterschied gemacht werden infolge der Verschiedenheit der Duldenden. Aber vielleicht sagst du, in dem, was wir anführten, liege eine allgemeine Schuld der gesamten Menschheit begründet; und hier sei das ganze Menschengeschlecht ohne jeden Unterschied der Schuld verfallen. Das ist wahr: Aber schuldet denn deshalb einer weniger, weil ein anderer das gleiche schuldet? Oder wenn die Schuldscheine von hundert Menschen auf je hundert Sesterzen lauten, wird deswegen die Last eines einzigen leichter, weil alle die gleiche Summe schuldig sind? „Denn jeder", sagt der Apostel, „hat seine eigene Last zu tragen",[1] und jeder muß für sich Rechnung ablegen. Keineswegs also wird die Last des einen durch die Last des andern verringert, noch wird ein Schuldiger frei von Schuld, weil er in

[1] Gal. 6, 5.

zahlreicher Gesellschaft ist. Und der Schrecken der
Verdammnis wird nicht kleiner, weil der Verdammte
vielleicht viele Genossen hat, die der Strafe mitschuldig
sind. Mag so das oben Angeführte auch eine allgemeine
Schuld bedeuten, so bedeutet es doch zweifellos auch
eine Einzelschuld; mag die Schuld auch allen gemeinsam
sein, sie trifft doch jeden einzelnen eigens; so verteilt
sie sich auf alle gleichmäßig, während doch für den einzelnen von seiner ganzen Schuld nichts abgezogen wird.
Denn Christus hat zwar für alle gelitten, aber auch für
jeden einzelnen, hat sich in gleichem Maße für alle hingegeben wie für den einzelnen, hat sich ganz für die
Gesamtheit geopfert und ebenso ganz für den einzelnen;
alles, was so der Erlöser durch sein Leiden und Sterben
erworben hat, das sind ihm in ganzem Umfang alle zusammen, aber auch die einzelnen schuldig; ja fast noch
in höherem Maße die einzelnen als alle zusammen, weil
der einzelne doch für sich ebensoviel empfängt wie die
Gesamtheit. Denn wo ein einziger soviel erhält wie alle
zusammen, da ist die Eifersucht größer, selbst wenn das
Maß das gleiche ist. So scheint er, mag er auch gleichviel erhalten, doch mehr zu schulden, weil doch ein
einziger mehr verpflichtet ist, wenn er mit der Gesamtheit auf gleiche Stufe gestellt scheint. Soviel über diese
Frage: Es glauben einige Gottesfürchtige deshalb nicht
Schuldner Gottes zu sein, nur weil sie ihre Schuld nicht
abzuschätzen vermögen.

3. Auch die sich dem klösterlichen Leben weihen, sind Gottes Schuldner

Nun wendet aber jemand ein — nicht etwa, daß die
heiligmäßigen Menschen nicht Schuldner seien, nein, —
aber daß doch die Schuld der Weltmenschen um vieles
größer sei, da sie mehr Sünden hätten. Das ist etwa,
als wenn einer sagte: „Ich bin deshalb unschuldig, weil
ein anderer schuldiger ist; ich bin deshalb gerecht, weil

ein anderer ungerecht, deshalb hervorragend gut, weil
ein anderer ausnehmend schlecht ist." Es ziemt ja schon
von vornherein nicht einem frommen Sinn, wenn man
das eigene Gute am fremden Übel wachsen sieht und
wenn man sich für besser hält auf Grund eines Ver-
gleichs mit den Schlechteren. Denn es ist wirklich die
armseligste Art des Trostes, aus dem Elend der Sünde
Trostgründe zu holen, da uns doch der Apostel Freude
zu haben heißt mit den Fröhlichen und zu weinen mit
den Weinenden, und befiehlt, daß nicht ein jeder nur
an das Seinige denke, sondern auch an das, was der
anderen ist.[1] Aber mag immerhin ein solcher Vergleich
noch als gerecht und ehrbar erscheinen, kann er denn
auch als zuverlässig gelten? Denn wer ist sich hinläng-
lich gewiß über das gewaltige, schreckliche, kommende
Gericht Gottes? Oder wer kann sagen: ich schulde weniger, der und der schuldet mehr? Wer kann endlich für
sich hoffen und für einen anderen verzweifeln? Denn
„wir alle", sagt der Apostel, „werden stehen vor dem
Richterstuhl Christi",[2] und: „ein jeder wird seine Last
tragen müssen".[3] Dann ist also, wirft jemand ein, gar kein
Unterschied zwischen Frommen und Sündern? O ja, und
zwar ein großer, fast unermeßlicher Unterschied! Aber
weil die Schrift sagt: „Selig der Mensch, der stets auf
seiner Hut ist"[4] — und weil sich der Sinn des Weisen
über das eigene Heil niemals in Sicherheit wiegt, möchte
ich doch — trotz des großen Unterschiedes zwischen
Frommen und Sündern — alle, die sich zum klösterlichen
Leben bekannt haben, fragen, wer von ihnen denn nach
seinem eigenen Gewissen genug heiligmäßig ist, wer nicht
zittert vor der fürchterlichen Strenge des kommenden
Gerichtes, wer seines ewigen Heiles sich wirklich sicher
fühlt. Wenn dies aber nicht so ist — und es darf auch

---

[1] Röm. 12, 15. Gaudere cum gaudentibus, flere cum flen-
tibus. Phil. 2, 4: Non quae sua sunt singuli considerantes,
sed ea, quae aliorum.
[2] Röm. 14, 10.   [3] Gal. 6, 5.   [4] Sprichw. 28, 14.

nicht so sein! —, dann möchte doch bei Gott mir irgendein Mensch sagen, warum er nicht mit allen Kräften seines Vermögens darnach trachtet, wenigstens durch ein
frommes Sterben all das loszukaufen, was er durch ein
anstößiges Leben an Schuld gehäuft hat. Ich möchte
aber, es sollten alle Leser dieser meiner Worte wissen,
daß ich nicht von allen Frommen schlechthin, sondern
nur von denen spreche, die von ihrem Reichtum nicht
ablassen, obwohl sie sich zum klösterlichen Leben bekannt haben. Denn von jenen, die ledig aller irdischen
Bürde den Weg des Erlösers wandeln und den Herrn
Jesus Christus nicht allein durch ihre Frömmigkeit, sondern auch durch ihre Armut sich erwerben, — von diesen
läßt sich nichts anderes sagen als einzig jenes Wort des
Propheten: „Bei mir, o Gott, sind deine Freunde hoch-
geehrt."[1] Denn diese ehre ich nicht anders denn als
Nachahmer Christi; ich verehre sie nicht anders denn als
Abbilder Christi; sie bewundere ich nicht anders denn
als Glieder Christi; und nur darum gedenke ich ihrer, um
ihres Gedenkens würdig zu werden.

4. Die sittlichen Maßstäbe des Alten Testaments gelten in der Frage des Besitzes nicht mehr

Manchem aber mögen unsere Worte als ein Unrecht
gegen die frommen Gelübde erscheinen. Wie verhält es
sich denn, fragt jemand, wenn eine Witwe reich ist und
ihre Witwenschaft auch mitten in einem großen Reichtum nicht aufgibt? Wie, wenn eine Jungfrau Keuschheit gelobt hat und in der Heiligkeit ihres unbefleck-
ten Leibes verharrt? Wie, wenn da eine Ehe ist ohne
Vollzug der Ehe,[2] so daß sie sich selbst verleugnet
✳ und die Gatten sich besitzen, gleichsam als ob sie sich

---

[1] Ps. 138 (139), 17. Salvian folgt hier der Vulgata, deren
Übersetzung aber vom hebr. Text abweicht. Vgl. A. Miller,
Die Psalmen, II, Freiburg 1920, S. 213.
[2] Salvians Ehe mit Palladia!

nicht besäßen? Wie, wenn ein Mönch von Kindes-
beinen auf für Gott streitet? Wie, wenn ein Kleriker die heilige Knechtschaft göttlichen Dienstes als
getreuer Knecht zu Ende trägt? Laufen denn auch alle
diese Gefahr um die Frucht ihres ewigen Heils, wenn
sie entweder im Leben ihr Hab und Gut ungeschmälert
besitzen oder es im Sterben nicht den Dürftigen hinterlassen? Um über eine solche Frage ein Urteil hinaus-
geben zu können, dazu ist mein Wort und meine Voll-
macht zu gering. Wir wollen also schauen, was über
all diese Dinge die Stimme der heiligen Bücher und
der himmlischen Lehrmeister verlauten lassen, und dann
werden wir am sichersten nach der von Gott gegebenen
Norm unsere eigenen Grundsätze richten. Zunächst allerdings darf jetzt niemand glauben, bei den Beispielen des
Alten Testaments Zuflucht und Trost finden zu können,
indem er sagt, es seien doch einige gottesfürchtige Menschen entweder im Gesetz oder vor dem Gesetz reich
geworden. Nein; jene Zeit ist vorbei, das Denken ist *
anders geworden; denn v o r dem Gesetz stand es im
freien Willen eines jeden, ein Vermögen zu besitzen oder
auch zu erstreben; er wurde ja noch nicht durch die
Rute des göttlichen Verbots gezüchtigt. „Denn", wie der
Apostel sagt, „wo kein Gesetz ist, da ist auch keine
Übertretung."[1] Erst das Gesetz bewirkt, daß etwas nicht
erlaubt ist; „denn", sagt wieder der Apostel, „ich hätte
nichts von der Lust gewußt, wenn nicht das Gesetz gesagt hätte: Laß dich nicht gelüsten!"[2] Daher konnte der
Mensch den Reichtum, den Gott v o r dem Gesetz nicht
getadelt hatte, in völliger Freiheit besitzen. Aber auch
i m Gesetze noch genügte fast der gleiche Grundsatz
für alle, weil das Gesetz in keiner Weise verbot, daß
der Mensch besitze, was er wolle, solange es nur in
Gerechtigkeit geschah. Daher genossen damals alle heiligmäßigen Menschen durchaus all ihr Vermögen nach

[1] Röm. 4, 15.   [2] Ebd. 7, 7.

den Gesetzesvorschriften, indem sie, so lesen wir, „wandelten in allen Satzungen und Geboten Gottes, untadelhaft".[1] So wandelten alle jene, von denen uns solches berichtet ist, wie die Prophetin Anna, die in Fasten und Gebet ihr Leben verbrachte, wie jener Nathanael,[2] von dem wir lesen, ausgezeichnet durch das Lob eines wahren Israeliten und nach dem Zeugnis Gottes des Herrn selbst bewundernswert, wie Tobias,[3] der in seiner Großmut und Frömmigkeit über die Vorschriften des Gesetzes hinausging, der mit eigener Todesgefahr dem Begräbnis der Toten seine Dienste weihte und, für die Armen bis zur eigenen Armut besorgt, so weit ging in seiner Opferfreudigkeit, daß er seinem Taglöhner einen Teil von allen seinen Gütern überwies, und dies — um noch mehr ein wunderbares Beispiel zu geben — schon als Reicher, ja — und das ist noch bewundernswerter — als ehedem armer Reicher; denn der Reichtum nach der Armut erregt fast immer noch größere Habsucht.

5. Das Evangelium stellt andere Forderungen als das Gesetz

Darin also bestand damals ein heiligmäßiges Leben: dem Gesetz gemäß alles zu besitzen, dem Gesetz gemäß alles zu verlassen. Und so war ein jeder vollkommen, der dem Gesetz gehorchte; und derjenige, der damals weniger tat, war genau so gottesfürchtig wie im Evangelium einer, der mehr tut. Denn damals war das Gesetz soviel wie das Evangelium. Wer also sich damals dem Gesetz gehorsam erwies, der erfüllte gewissermaßen auch das Evangelium. So darf jetzt keiner glauben, zum Gesetz seine Zuflucht nehmen zu können; „denn das Alte", sagt der Apostel, „ist vergangen, alles ist neu geworden".[4] Damals herrschte mehr Nachsicht, mehr Freiheit. Damals wurde der Fleischgenuß gepredigt, jetzt Enthaltsamkeit; damals gab es im ganzen

---

[1] Luk. 1, 6.   [2] Joh. 1, 47.   [3] Tob. 1, 20; 2, 8.   [4] 2 Kor. 5, 17.

Leben nur wenige Fasttage, jetzt ist gleichsam das ganze
Leben ein einziger Fasttag. Damals geschah einer Beleidigung Genüge durch Rache, jetzt durch Geduld;
damals war das Gesetz ein Diener des Zornes, jetzt ein
Gegner; damals drückte es dem Ankläger das Schwert
in die Hand, jetzt die Liebe; damals hatte das Gesetz
sogar Nachsicht mit den Lockungen des Fleisches, jetzt *
nicht einmal mit dem bloßen Blick; damals hatten die
leiblichen Lüste eine gewisse Freiheit, jetzt müssen schon
die Augen in strenger Zucht gehalten werden; damals
gab das Gesetz im Lager eines Gatten Raum, um viele
Frauen aufzunehmen, jetzt verpflichtet Frömmigkeit und
gelobte Keuschheit sogar zur Fernhaltung einer einzigen Frau! „Denn", so sagt der Apostel, „das bleibt
übrig, daß auch denen, die Weiber haben, so sein wird, *
als hätten sie keine; und den Weinenden, als weinten
sie nicht; und den Fröhlichen, als freuten sie sich nicht;
und den Käufern, als besäßen sie nichts; und denen,
die diese Welt genießen, als genössen sie dieselbe nicht;
denn es vergeht die Gestalt dieser Welt."[1] Seht, in welcher Kürze der gottgesandte Lehrer alles in den richtigen Grenzen hält, wie er alles zu einem einzigen Bild
der Vollkommenheit zusammenschließt, indem er nicht
allein das Unerlaubte untersagt, sondern auch das Erlaubte einschränkt; indem er sozusagen alles beschnei-
det, den ehelichen Umgang, die Kraftlosigkeit der Trä- *
nen, das Übermaß der Freuden, die Sucht nach Besitz,
die Begierde am Kaufen, endlich die ganze kurze und
schattenhafte Lust an dieser Welt. Und warum dies
alles? Ja warum — wenn nicht deswegen, weil, wie
er selbst sagte, die Gestalt dieser Welt vergeht? Wie
weit entfernt von Gottes Gebot sind also diejenigen,
die Gott geheißen hat, für sich selbst im Leben auf ihren
Reichtum zu verzichten, die ihn aber noch im Tode in
ihren Verwandten besitzen möchten! Oder wie weit

[1] 1 Kor. 7, 29—31 (mit unwesentlichen Textänderungen
der Vulgata gegenüber).

entfernt sind sie noch von jener Hingabe, daß sie sich
um Gottes willen selbst enterben, wenn sie nicht einmal Fremde um ihrer selbst willen enterben wollen!
Ihnen möchte ich ganz freimütig zurufen: „Was für
ein Wahnsinn ist das, ihr Unseligen, daß ihr Menschen,
sei es welche auch immer, zu eueren Erben macht, euch
selbst aber eures Erbes entblößt! Daß ihr andere als
reich zurücklasset — auch das nur auf kurze Zeit! —
euch selbst aber zur ewigen Bettelarmut verdammt!"

6. Die Christen verdanken Gott mehr als die Juden; daher muß der Christ mit *allem* Gott dienen. Beispiel der christlichen Witwe

Doch fragt nun jemand, was es denn eigentlich sei,
daß Gott jetzt durch das Evangelium von den Christen
mehr verlange als einst durch das Gesetz von den Juden.
Dieser Gedanke ruht auf festem Grunde: Wir müssen
unserem Herrn Größeres zurückzahlen, weil wir Größeres schulden. Die Juden hatten einst nur den Schatten der Dinge, wir haben die Wahrheit; die Juden waren
Knechte, wir sind Adoptivkinder; die Juden empfingen
ein Joch, wir die Freiheit; die Juden den Fluch, wir die
Gnade; die Juden den tötenden Buchstaben, wir den
belebenden Geist; den Juden ward ein Knecht zum Lehrer gesandt, uns der Sohn; die Juden gingen durch das
Meer hindurch in eine Wüste, wir gehen durch die Taufe
hindurch ins Reich Gottes; die Juden aßen das Manna,
wir essen Christus; die Juden das Fleisch der Vögel,[1]
wir den Leib Gottes; die Juden den Reif des Himmels,
wir den Gott des Himmels, „der", wie der Apostel
* sagt, „obwohl er göttlicher Natur war, sich selbst erniedrigte bis zum Tode, zum Tode des Kreuzes";[2] nicht
zufrieden damit, für uns einen einfachen Tod zu erleiden, ohne daß er auf das freiwillig erkorene Sterben

[1] Exod. 16, 13. [2] Phil. 2, 6. 8.

auch noch die ganze Qual der bittersten Henkersstrafe gehäuft hätte. Was wird der Mensch für diese Tat allein
erstatten können, der Mensch, für den sich Christus in
martervollem Leiden geopfert hat? Oder was Gleich-
wertiges wird er dem Herrn von sich aus vergelten, er,
der dem Gott selbst, von dem er erlöst worden ist, schul- *
det? Das also ist der Grund, warum der Herr eine größere Hingabe von uns verlangt, weil er eben unsere Hingabe um einen so hohen Preis erworben hat. Daher sagt
der heilige Apostel Paulus: „Wer kann uns scheiden
von der Liebe Christi? Trübsal oder Angst oder Verfolgung oder Hunger oder Blöße oder Gefahr oder
Schwert?"[1] Der Apostel sagt hier, daß wir nicht nur
unser Geld und nicht nur unsern Reichtum Gott schulden, sondern Trübsal, Angst, Hunger, das Schwert, das
Blutvergießen, den letzten Atemzug und jegliche Art
der Todesqualen. Daraus mögen alle Gottgeweihten ersehen, daß sie Gott nicht genug zurückgeben, auch wenn
sie ihr gesamtes Vermögen spenden, weil sie dann,
mögen sie auch alles andere verteilen, doch immer noch
sich selbst schuldig bleiben. Und deshalb — wir fingen
schon an, davon zu sprechen — darf irgendeine Witwe
mit nichten glauben, es genüge der bloße Name der
Witwenschaft zum ewigen Heil, sondern sie soll ver-
nehmen, wie beschaffen nach dem Apostel der Herr
eine Witwe haben will: „Eine wahre Witwe, die verlassen ist, hofft auf Gott und läßt nicht ab vom Beten
Nacht und Tag; denn die ein üppiges Leben führt, ist
lebendig tot."[2] In ein und demselben Satze hat der
Apostel die zwei Formen der Witwenschaft zum Aus-
druck gebracht: die des Lebens und die des Todes;
auf die Üppigkeit aber hat er den Tod gesetzt. Also

---

[1] Röm. 8, 35. In der Vulgata steht persecutio an vorletzter
Stelle.

[2] 1 Tim. 5, 5 f. Vulgata: Quae autem vere vidua est, et deso-
lata speret in Deum, et instet obsecrationibus et orationibus
nocte ac die; nam quae in deliciis est, vivens mortua est.

will er offenbar nicht, daß eine Witwe reich ist, wenn
er nicht duldet, daß sie üppig lebt. Denn jegliche Frucht
des Reichtums besteht doch im Genuß eines üppigen
Lebens; sonst bleibt ja, wenn dieser Genuß fehlt, kein
Grund mehr für den Reichtum.

7. Wie die Witwen, verpflichten sich auch die enthaltsamen Ehegatten zur Wohltätigkeit gegen die Kirche

Wenn daher der Apostel das üppige Leben einer
Witwe mit „Tod" bezeichnet, so liegt es auf der Hand,
daß er alles zum Genuß des ewigen Lebens verteilt
wissen möchte, da er doch gar nichts für den Gebrauch
des „Todes" aufgespart wissen will. Deshalb sagt er:
„Eine wahrhafte Witwe setzt in ihrer Einsamkeit ihre
Hoffnung auf Gott;" er will damit lehren, daß es nicht
genug ist, wenn eine Witwe nicht üppig lebt oder nicht
reich ist, wenn sie nicht auch Gott anhängt, dem Gebete sich widmet, allen Lockungen der Welt ferne, und
durch dies alles eine wahrhafte Witwe ist. Im Hinblick
darauf darf eine Frau, die dem „Leben" und nicht dem
„Tode" zu eigen sein will, sich nicht damit zufrieden
geben, sich um Gottes willen Wohlleben und Reichtum
zu versagen, wenn sie sich nicht gleichzeitig durch Gebet
und Arbeit es verdient, eine „Witwe Gottes" zu heißen;
es ist ja kein Zweifel, daß jemand so im Leibe Christi
verbleiben wird, wie er auf dieser Welt Christus angehangen hat nach dem Wort: „Es hängt an dir meine
Seele, es hält deine Rechte mich aufrecht."[1] Daraus
geht klar hervor, daß nur eine Seele, die Gott auf dieser
Welt angehangen ist, die Rechte Gottes im zukünftigen
Leben aufrecht halten wird. Das also ist die Richtschnur
der Witwenschaft.

Wer dürfte dann von den Ehegatten, die Enthaltsamkeit gelobt haben und voll des Geistes Gottes sind,

[1] Ps. 62 (63), 9; in der Vulgata fehlt autem.

zweifeln, daß sie das Ihrige nicht in den Dienst weltlicher Erben stellen wollen, sie, die sich selbst aus der
Welt ausgeschlossen haben? Denn wie sollten sie das,
was ihnen zusteht, anderen zuschreiben, die sich selbst
sich versagen? Sie, die, mit so ungewöhnlicher Tugend-
kraft gerüstet, erlaubte und — was noch das Größere
ist — schon gekostete leibliche Freuden in strenger,
bewundernswerter Enthaltsamkeit zu Boden treten, wie
sollten sie irgend etwas von ihrem Besitz nicht Gott ge-
loben, da sie doch Gott selbst in ihr Inneres aufgenom-
men haben? Nach meinem Ermessen kann von einer
solchen Ehe mit vollstem Recht gesagt werden: „Froh-
locke, Unfruchtbare, daß du nicht gebierst! Erhebe Ju-
bel und jauchze, daß du keine Wehen fühlst! Denn die
Einsame soll mehr Kinder haben als jene, die einen
Mann hat."[1] Unfruchtbar ist das, was nicht gebiert;
einsam ist das, was sich von allen Lockungen der Welt
abgesondert hat; ohne Mann ist das, was ohne den Umgang des Mannes den Mann so hat, daß es den Anschein
hat, als hätte es ihn nicht. Wer möchte nun zweifeln,
daß solche Ehegatten, solange sie leben, wie an sich
schon, so auch in ihrem Besitz für Gott leben, und wenn
sie aus dem Leben scheiden, zusammen mit ihrem Vermögen zu Gott hinübergehen, für den sie gelebt haben?
Denn anders, also wenn er seinen Besitz den Weltleuten und damit der Welt selbst hinterläßt, hätte
jeder von diesen Leuten vergebens den Namen göttlichen
Dienstes beansprucht; er scheint ja doch immer dafür
gelebt zu haben, wofür er stirbt. Über die Ehegatten mag
nun genug gesagt sein.

[1] Is. 54, 1. Vulgata: Lauda, sterilis, quae non paris; decanta
laudem et hinni, quae non pariebas, quoniam multi filii deser-
tae magis quam eius quae habet virum.

8. Ebenso müssen die gottgeweihten Jungfrauen zur Opferung all ihrer Habe bereit sein

Wollen wir nun zu den gottgeweihten Jungfrauen übergehen! Ihnen hat das Gesetz ihrer Frömmigkeit der Heiland selbst vorgeschrieben,[1] nämlich durch das Gleichnis von den zehn Jungfrauen. Die Schar der törichten Mädchen unter ihnen verurteilt er nur deswegen zur ewigen Pein, weil es ihr an Barmherzigkeit fehlt. Ganz deutlich hat der Herr damit zu verstehen gegeben, wie hoch er eine gebefreudige Barmherzigkeit wertet; ohne sie, sagt er, wird selbst die Unversehrtheit einer Jungfrau nichts frommen. Aber einige schmeicheln vielleicht sich selber und halten es für genügend, wenn sie nur ein weniges verschenken, obwohl sie ein großes Besitztum haben. Ich selbst leugne auch gar nicht, daß man so glauben soll, wenn dieser Schluß stimmt. Gut: man gebe zu wenig, wenn dieses zu Wenige genügen wird; aber ich weiß nicht, ob ein „zu wenig" genügt; vielmehr ich weiß bestimmt, daß dieses „zu wenig" nicht genügt. Wenn solche selbst etwas anderes wissen, gut, so sollen sie es bei sich selbst wissen; ich weiß nur eines, nämlich, daß Gott von den ausgelöschten Lampen der Jungfrauen spricht, die nicht das Öl der guten Werke hatten. Glaubst du aber, wer du auch seiest, daß du genug des Öls habest? Auch jene törichten Jungfrauen, von denen wir sprechen, dachten sicherlich so; denn wenn sie nicht geglaubt hätten, Öl zu haben, hätten sie dafür gesorgt, es zu haben. Wenn sie nämlich hernach, wie der Herr sagt, es entlehnen wollen und es mit heftigem Eifer zu bekommen trachten, hätten sie es zweifelsohne auch schon vorher erworben, wenn sie nicht der Glaube, es schon zu haben, getäuscht hätte. Sieh daher auch du zu, Jungfrau, wer du auch seiest, — sieh zu, daß du es nicht auch so nicht habest, obwohl du glaubst,

[1] Matth. 25.

es zu haben! Du trägst den gleichen Namen wie jene,
du hast den gleichen Stand. Du bist eine Jungfrau, und
jene waren Jungfrauen; du meinst weise zu sein, und
jene hielten sich nicht für töricht; du glaubst, daß deine
Lampe ein Licht trage, und auch jene haben ihr Licht
eingebüßt durch ihre Hoffnung auf das zukünftige Licht.
Deshalb heißt es ja, sie hätten ihre Lampen zurecht-
gemacht, weil sie glaubten, daß sie angezündet werden
müßten.[1] Ja, ich glaube sogar, daß auch bei ihren Lampen ein wenig Licht aufflammte. Denn wenn sie selbst,
wie wir lesen,[2] fürchteten, es möchten ihre Lampen ver-
löschen, so mußten sie doch etwas haben, dessen Ver-
löschen sie besorgten. Und ihre Vermutung und ihre ✳
Furcht trogen nicht: die Lampen erloschen und wurden dunkel. Denn nichts hat es der Reinheit genützt,
daß in ihr das Licht der Jungfräulichkeit erschien, weil
sie infolge des mangelnden Öles kraftlos ward. Daraus ersehen wir, daß das, was zu wenig ist, soviel wie
nichts ist; denn es nützt soviel wie nichts, ein Licht an-
zuzünden, das sofort wieder verlöscht; und es hat keinen
Wert, daß etwas aufleuchtet, was im Entstehen schon
den Untergang birgt; und daß es nur deshalb einen
Anfang zum Leben nimmt, um einen Anfang zum Sterben zu haben. Nein, eine volle Lampe ist nötig, damit das
Licht dauern kann. Denn wenn sogar in den Lampen,
die wir Menschen doch nur auf kurze Zeit benützen,
das Licht immer matter und schwächer wird, so nicht
reichlich Öl zugegossen ist — welche Fülle des Öls
brauchst du erst, gleichviel wer du auch bist, auf daß
deine Leuchte für die ganze Ewigkeit leuchte? Für
niemanden genügt es also zum ewigen Leben, wenn er
nur glaubt, zu haben, was er in Wirklichkeit nicht hat;
denn törichte Einbildungen sind die Ursache des Verderbens, nicht des Heils; „denn wer", sagt der Apostel,
„da wähnt, er sei etwas, während er doch nichts ist,

[1] Matth. 25, 7.   [2] Ebd. 25, 8.

der verführt sich selber."[1] Oder es müßte dir — wer
du auch seiest, die ich anspreche — es müßte dir von
Gott unmittelbar das Maß der Mildtätigkeit enthüllt
worden sein und du müßtest vom Heiligen Geist genau
umschriebene Grenzen für dein Schenken erhalten haben,
daß du ihre Überschreitung für eine Sünde halten und es
irgendwie als Fehltritt ansehen müßtest, wenn du fröm-
mer wärest, als es dir von Gott geheißen ist. In einem
solchen Falle sollst du ungehindert deine von Gott verliehene Wissenschaft gebrauchen. Weil aber diese Einbildung ebenso töricht wie leichtfertig ist, welch ein
Wahnsinn ist es da, in vorsichtiger und furchtsamer
Sorge nicht alles zu tun, was überhaupt möglich ist,
da du doch gar nicht wissen kannst, wieviel zum Heile
hinreicht!

9. Auch die Kleriker sind in besonderem Maße dazu verpflichtet

Noch müssen wir einiges über die Diener der Kirche
und die Priester sagen, obwohl es eigentlich überflüssig
sein mag. Denn was von allen anderen gesagt wurde,
all das gilt ohne Zweifel in noch höherem Maße von
denen, die allen ein Vorbild sein müssen und die alle
übrigen an Frömmigkeit ebensoweit überragen sollen,
wie sie es durch ihre Würde tun. Denn was ist ein Vorrang ohne erhöhte Verdienste anderes als ein ehren-
voller Titel ohne ehrbaren Namen,[2] oder was bedeutet die

---

[1] Gal. 6, 3. Bei Salvian einige Änderungen gegenüber der
Vulgata, besonders: ipsum se seducit statt ipse der Vulgata.

[2] Wir übernehmen — freilich nicht ohne Bedenken — die Lesung Hartels und Paulys: honoris titulus sine nomine, obwohl die Haupthss., auch der von Morin neu gefundene Cod.
Bern. Bongars. 315, „homine" schreiben. Diesen Satz zitiert
übrigens Salvian wieder in seiner Gub. IV, 1 (sicut ait qui-
dam in scriptis suis); so muß also auch dort die Lesung „nomine" übernommen werden, was Hartel und Pauly unter-
lassen.

Würde an einem Unwürdigen anderes als ein Schmuck-
stück in einer Pfütze? Daher müssen alle, die oben auf
den Stufen des Opferaltares stehen, ebenso hoch durch
ihre Verdienste wie durch ihre Stellung herausragen.
Denn wenn Gott Männern im Laienvolke und Frauen,
die doch zum schwächeren Geschlecht gehören, schon
so feste, vollkommene Lebensregeln gegeben hat, um
wieviel größere Vollkommenheit verlangt er erst von
denen, die andere belehren müssen, wie sie zur Vollkommenheit gelangen können! Von ihnen hat doch
Gott in allen Dingen ein so gutes Beispiel verlangt,
daß er sie zu einer ganz besonderen Lebensweise nicht
nur durch das neue, sondern auch schon durch das
alte Gesetz aufs strengste verpflichtete! Mochte auch
der Alte Bund allen übrigen Menschen die weiteste Voll-
macht zur Vergrößerung ihres Besitzes gönnen — gerade alle Beamten und Priester schränkte er hinsichtlich
ihrer Habe auf gewisse Grenzen ein und erlaubte ihnen
weder ein Saatfeld noch einen Weinberg noch überhaupt
irgendein Grundstück zu besitzen. Daraus läßt sich doch
entnehmen, ob unser Herrgott heute wollen kann, daß
die im Evangelium lebenden Kleriker irgendwelchen
Weltkindern die Güter vererben sollen, deren Besitz er
nicht einmal den unter dem alten Gesetz Stehenden
erlaubte! Und daher verkündete ihnen der Heiland selbst
im Evangelium dies nicht als freiwillige, sondern als   *
pflichtgemäße Leistung zur Vollkommenheit. Denn was,
lesen wir, hat er jenem Jüngling — einem Laien —
gesagt? „Wenn du vollkommen sein willst, verkaufe,
was du hast, und gib es den Armen!"[1] Was aber sagt
er zu seinen Dienern? „Ihr sollt weder Gold noch
Silber noch Geld in euren Gürteln tragen, weder eine
Reisetasche noch doppelte Kleidung noch Schuhe noch
Stab haben."[2] Beachtet wohl den großen Unterschied
zwischen diesen beiden Worten des Herrn! Dem Laien
sagt er: „Wenn du willst, verkaufe deine Habe", dem

[1] Matth. 19, 21.   [2] Ebd. 10, 9 f.

Diener aber: „Ich will nicht, daß du besitzest." Er hielt es aber für noch zu wenig, wenn er ihm nur den Besitz etwa eines größeren Vermögens nahm; nein, er wollte ihm selbst die Tasche nicht belassen, wenn er eine Reise vor sich hatte, und wollte ihn sogar zum Genügen an einem einzigen Gewand verurteilen! Und ferner nicht genug damit! Er befiehlt auch noch seinen Knechten, mit nackten Sohlen über die Erde zu wandeln, und hat ihnen die Schuhe von den froststarrenden Füßen genommen. Und was noch? Den Stab[1] hat er aus der Hand des Apostels gerissen und seinen Dienern, wenn sie die ganze Welt durchwanderten, auch nicht einen kleinen Stecken zur Stütze gelassen. Und nach all dem dünkt es ihren Nachfolgern, den Leviten und Priestern, die eines so hohen, heiligen Amtes walten, nicht genug, wenn sie selber reich sind — sie wollen auch noch reiche Erben hinterlassen! Schämen wir uns doch über diese Treulosigkeit! Seien wir doch damit zufrieden, wenn wir wenigstens nur bis zum Lebensende Gott zu verschmähen scheinen! Warum bemühen wir uns, diese Verachtung Gottes auch noch über den Tod hinaus zu erstrecken? Wir sprachen nun von den einzelnen Personen und Ständen, und zwar deshalb, weil es — wie schon gesagt — Leute gibt, die sich zwar Gottes besonderem Dienste verlobt haben, die aber glauben, sie schuldeten Gott ihr Vermögen nicht so, oder doch nicht in dem Maße wie die Weltleute. In Wirklichkeit schulden sie es in viel höherem Grad; denn der Knecht, der den Willen seines Herrn kennt und ihn nicht ausführt, soll mit vielen, der ihn aber nicht kennt, mit wenig

---

[1] Die ohne Zweifel richtige Lesung „pedum", die freilich nicht in der ganzen Überlieferung erscheint, wird jetzt bestätigt durch den von Morin gefundenen Cod. Bern. Bongars. Nr. 315, s. XI. Es ist aber bezeichnend für den Charakter dieser Handschrift, daß sie das Wort „calciamenta" einschieben zu müssen glaubte, offenbar, weil sie pedum falsch als Gen. pl. von pes auffaßt.

Schlägen gezüchtigt werden.[1] Weihe an Gott aber ist
auch Wissenschaft von Gott; und daher bezeugt jeder *
Gottgeweihte allein durch die Hingabe an Gott sein
Wissen um den göttlichen Willen. Das Gelöbnis der
Gottgeweihtheit erläßt daher nicht die Schuld, sondern
erhöht sie, weil die Aneignung des gottgeweihten Namens auch ein Versprechen tiefster Ergebenheit bedeutet
und auf diese Weise einer um so mehr durch seine Werke
schuldet, je mehr er durch sein Gelöbnis versprochen
hat, nach dem Wort: „Es ist besser, nichts zu ge-
loben, als nach einem Gelöbnis das Versprechen nicht
zu halten."[2]

10. Die Motive für die Verpflichtung zum Ideal größerer Vollkommenheit

Vielleicht sagt aber jemand: wenn dem so ist, dann
ist ja die Weltlichkeit ein sichererer Weg als die Gottgeweihtheit! Ganz und gar nicht! Denn der Gottgeweihte ist dadurch Schuldner, daß er sich als Gottgeweihten bekennt; der Weltmensch aber deswegen, weil
er von der Hingabe an Gott nichts wissen will; und so
haben beide je nach der Verschiedenheit ihres Standes
ihre Schuld. Der Gottgeweihte schuldet alles, was er
feierlich zu wissen bekennt; der Weltmensch aber auch
das, was er nicht gerne wissen möchte, nach jenem Wort,
das die Heilige Schrift ganz besonders von ihm spricht:
„Er will vom Gutestun nichts wissen."[3] Aber immerhin: wir haben einmal die Gottgeweihten dadurch belastet, daß wir das Bekenntnis zu diesem Namen als
ein Gelöbnis besonderer Frömmigkeit bezeichneten;
wir wollen also diese Last beiseiteschieben und wollen
annehmen, das Gesagte verhalte sich nicht so. Wir
wollen dafür erwägen, nicht was wir auf Grund unseres Bekenntnisses, sondern aus Vernunft, nicht was wir
auf Grund eines Gelübdes, sondern rein aus Gründen

[1] Luk. 12, 47 f. [2] Ekkle. 5, 4. [3] Ps. 35, 4.

unseres Heils tun müssen. Sagt mir doch, ihr Gottgeweihten alle, ob es einen Menschen gibt, der nicht
alles, was er tut, um seines Heiles oder wenigstens um
eines Nutzens willen tut! Ich glaube, es gibt keinen;
denn durch die Leitung und den Antrieb der Natur selbst
kommen alle dahin, daß sie gern irgendeinen Nutzen
haben oder haben wollen. Daher hält der, welcher
Kriegsdienste leistet, dieses Tun für schön; und wer
Handel treibt, dieses Geschäft für nützlich; und wer
den Acker bebaut, diese Arbeit für fruchtbringend; ja
sogar die Diebe und Räuber und Giftmischer und
Meuchelmörder und alle, die irgendwie ein verbreche-
risches Dasein führen, erachten ihre Tätigkeit als ihnen
zusagend, nicht weil etwa irgendeinem Menschen wirklich Missetaten frommen, sondern weil derjenige, der
sich mit Missetaten abgibt, einfach davon überzeugt ist,
daß eben das Böse für ihn paßt. Und so haben auch
wir, glaube ich, aus keinem anderen Grunde die Lebens-
weisheit des göttlichen Dienstes für uns in Anspruch
genommen, als weil auch wir glaubten, daß sie uns
wirklich zusage; wir dachten an die Kürze alles Irdischen und an die Ewigkeit des Kommenden; wie klein
das Jetzt und wie unendlich groß das Einst ist; wir
dachten auch an den künftigen Richter und die gewaltigen Entscheidungen des furchtbaren Gerichtes, an das
feuerglühende Tal der ewigen Tränen mitten unter den
Völkern ringsum — es ist ein unfaßbares, ungeheueres
Leid, dieses Tal betreten und seine Qual erdulden zu
müssen; nein, es allein schon sehen und fürchten zu
müssen, ist ein Teil des allerschlimmsten Leids! Wir
dachten auch, im Gegensatz zu diesen furchtbaren Pei-
nen, an jene herrliche, unendliche Seligkeit, an den neuen
Himmel und die neue Erde, da das Antlitz aller Dinge
schöner wird,[1] an die ewige Wohnung der Gerechtigkeit, an die neue Wohnstatt der Geschöpfe, an die
goldenen Paläste aller Heiligen jenseits der neuer-

[1] Offenb. 21, 1.

schaffenen Himmel, an die hohen Hallen, geziert mit glitzerndem Edelgestein, köstlich im Glanze nie erblindenden Metalls; an das Licht, das da, um das Siebenfache heller, immerfort in purpurnen Leuchtern erstrahlt, an die Glückseligkeit voll unaussprechlicher Güter; an die nie endende Freude der Himmelsbewohner, an die Gesellschaft der Patriarchen, den Umgang der Propheten, die Freundschaft der Apostel, die Würde der Märtyrer und bei allen Heiligen die Ähnlichkeit mit den Engeln, an die Fülle des himmlischen Reichtums, an den Überfluß unsterblicher Freuden, an das Leben in Gemeinschaft mit Gott. Das alles bedachten, das alles betrachteten wir und haben dann zum heiligen, gottgeweihten Dienst unsere Zuflucht genommen. Wir haben Gott gleichsam als Bürgen zur Erlangung all dieser Güter, als Fürsprecher von ganz besonderer Wirkung für uns in Anspruch genommen; mit Eifer und Demut zugleich haben wir uns unter seinen Schutz und Schirm begeben.

11. Gott belohnt die Wohltätigen und bedroht den Geiz mit den schwersten Strafen

Da wir also diese Güter alle zugleich in unseren Gedanken wie in unseren Wünschen hegen, wollen wir nunmehr sehen und ganz sorgfältig erwägen, womit wir all dies Große von Gott erkaufen können, vorausgesetzt, daß die Möglichkeit hierzu in unserem Handeln oder in unserem Vermögen vorliegt. Ist dies aber nicht der Fall, so möchte ich doch fragen, warum nicht jeder von uns alles für sich opfert, was er besitzt, da er ja doch nicht alles opfern kann, was er schuldet! Besonders da doch unser Herr und Heiland selbst sagt, es gäbe für keinen Menschen etwas Besseres, als all sein Hab und Gut bei *
der Barmherzigkeit auf Zins anzulegen, und da er dies immer wieder im Alten wie im Neuen Bund einschärfte, wenn er sagte, daß die, so ihr Eigentum teilen, reicher werden, und daß die Barmherzigkeit vom Tode erlöst.

Und anderswo heißt es von einem heiligen Mann: „Er
teilt seine Habe aus, er spendet den Armen, und seine Gerechtigkeit währet ewiglich."[1] Auch im Evangelium heißt
es: „Häufet nicht Schätze an auf dieser Welt."[2] Und
dann: „Ihr könnet nicht Gott dienen und dem Mammon."[3]
Und weiter: „Weh euch, ihr Reichen, denn ihr habt euren
Trost dahin!"[4] Auch von den Geizigen, die sich gegen die
Menschlichkeit verfehlen, spricht er: „Gehet in das
ewige Feuer, das mein Vater dem Satan und seinen Engeln bereitet hat."[5] Es läßt sich leicht erschließen, welches ihre Strafe sein wird, wenn ihr Schicksal mit dem
Teufel verknüpft wird. Und doch: Mit solchen ungeheu-
ren Strafen werden nicht etwa gräßliche Verbrechen —
Unzucht, Menschenmord, Gottesraub — geahndet, sondern einzig und allein der Geiz, die Lieblosigkeit, die
sich der Barmherzigkeit versagt. Wir müssen daher begreifen, was diejenigen erleiden werden, die sich neben
anderen Vergehen auch noch der Habsucht schuldig
machen, da schon die mit schwerster Pein bedroht werden, die allein die Sünde des Geizes, ohne daß sie sich
sonstwie verfehlt hätten, zum ewigen Tode verdammt.
Und wenn wir glauben, daß dies alles so geschehen wird,
müssen wir ihm unter jeder Bedingung zu entfliehen
trachten. Suchen wir ihm aber nicht zu entkommen, dann
glauben wir auch nicht daran. Glauben wir aber nicht,
dann sind wir überhaupt keine Christen; wir können
doch niemand einen Christen heißen, der da meint, man
brauche Christo nicht zu glauben.

12. Sich vom Besitz lösen zeigt den Glauben an Gottes Zusagen; Festhalten am Besitz ist Unglaube

Aber sagen wir einmal, wir brauchten jene angeführten
Strafen nicht als Schuldige zu fürchten, — können wir

[1] Ps. 111 (112), 9. [2] Matth. 6, 19.
[3] Ebd. 6, 24; Luk. 16, 13. [4] Luk. 6, 24.
[5] Matth. 25, 41 (Vulgata: Discedite in ignem aeternum, qui
paratus est diabolo et angelis eius).

denn auf einen Lohn hoffen ohne Verdienste? Und wenn
wir unseren Reichtum schon nicht hingeben zum Loskauf von unseren Sünden, geben wir ihn wenigstens hin
zum Erwerb der Seligkeit; wenn nicht zur Abwendung
der Verdammnis, dann wenigstens zur Erlangung der
Gnade! Denn wenn es für die Gottgeweihten auch nicht
Übel der Vergangenheit gutzumachen gilt, so gibt es
doch ewige Güter, die sie um einen hohen Preis erwerben
müssen; wenn es auch keine Strafe zu fürchten gilt, so
gibt es doch ein Reich, nach dem man streben soll; wenn
also die Frommen schon nichts loszukaufen haben — sie
haben doch etwas zu erkaufen! Oder fürchtet jemand
etwa einen Nachteil beim Kauf? Daß er mehr ausgäbe
als wiedererhalte? Daß er ein großes Kapital ausleihe
und nur wenig Ertrag bekomme? Daß das Zurückerstat-
tete die Schenkung nicht aufwiege und so die Höhe des
bezahlten Preises das Geld des Käufers in Gefahr
bringe? Als ob er Gott auf Erden wunder etwas Großes
anvertraut habe und Christus habe im Himmel nichts,
wovon er ihm zurückzahlen könnte! Freilich, bei einem
solchen Bedenken kann ich zu nichts mehr raten; einem
solchen Zweifler kann schlechterdings nichts mehr
nützen! Denn jedes Geschäft ist innerlich hohl, wenn das
feste Vertrauen fehlt; ohne Sinn leiht der etwas aus, der
von vorneherein an der Zurückerstattung verzweifelt.
Christus ist, wie wir glauben, der Vergelter aller Taten.
Wenn du also meinst, er sei so arm, daß er nichts vergelten könne, oder so ungetreu, daß er es nicht wolle,
— ja, wie wirst du von ihm eine Vergeltung erhoffen
können, dessen Unvermögen und Untreue du selber ver-
urteilst? Wenn dem aber nicht so ist, wenn du nicht
zweifelst, daß er sein Versprechen halten werde, —
welche Torheit, welche Verirrung ist es dann, daß du
ihm nicht so viel gibst, wie du nur kannst, da du doch
keinen Zweifel hast, viel mehr zurückzuerhalten, als du
hingegeben hast? Was für ein Unglück liegt darin, daß
du es vorziehst, nichts von dem wiederzuerhalten, was

du hier zurücklässest, während du das Ganze immerdar
zu eigen haben könntest, das du Gott anvertraust! Aber
— weh mir! — ich muß vermuten, daß man Gott nicht
vertraut! Was sage ich? Vermuten? Ach, hätte es doch
bei diesem zweifelnden „Vermuten" sein Bewenden, und
sähe ich nicht alles ganz deutlich vor mir! Dann würde
ich vielleicht noch mit Gewalt meine Ahnungen niederhalten und mein Gefühl zwingen können, nicht an noch
zweifelhafte Dinge zu glauben; dann könnte ich mich zu
besseren Hoffnungen bekehren. Aber was geschieht denn
in Wirklichkeit? Was uns niederdrückt, ist gar nicht
zweifelhaft; und was uns Gewalt antut, liegt klar zu-
tage! Denn wer kann Gott nur im Geiste vertrauen,
nicht aber mit seinem Vermögen? Wer kann Gott seine
Seele hingeben und sein Geld versagen? Wer kann den
Glauben hegen an die himmlischen Verheißungen, aber
nicht danach streben, dieser Verheißungen teilhaft zu werden? Wenn wir also sehen, daß die Menschen nicht danach
trachten, so müssen wir sie doch notgedrungen, jedoch
offen und unwiderleglich als Ungläubige erkennen. Wir
dürfen einfach nicht annehmen, daß diese zu Gott ein
gläubiges Vertrauen haben, wenn sie in Wirklichkeit
verkünden, daß sie Gott den Glauben verweigern. Ja, es
ist leider notwendig, hier die geringe Glaubenstreue bei
fast allen Menschen bitter zu beklagen! Welch ein Elend,
welch eine Torheit! Einem Menschen glaubt der Mensch,
nicht aber glaubt er Gott; auf menschliche Verspre-
chungen setzt man Hoffnungen, auf Gott zu hoffen,
sträubt man sich. Ja, alles, was auf Erden vor sich
geht, lebt von der Hoffnung auf die Zukunft; dieses
ganze zeitliche Leben nährt und fristet sich allein durch
die Hoffnung. Vertrauen wir doch darum dem Erdboden
das Getreide an, daß wir einmal das Anvertraute zu-
samt den Zinsen zurückerhalten! Und darum wird soviel Arbeit und Plage in einen Weinberg gesteckt, weil
die Hoffnung auf die Lese die Menschen tröstet; und
darum wagen es die Handelsleute, durch Käufe ihre

Kassen zu leeren, weil sie ja hoffen, sie durch Verkäufe
wieder aufzufüllen; und darum vertrauen die Schiffer
ihr Leben den Winden und Stürmen an, um das Ziel
ihrer Hoffnungen und Wünsche zu erringen. Und noch
weiter! Auch der Friede zwischen wilden, barbarischen
Völkern beruht auf der Hoffnung und wird auf Treue
und Glauben abgeschlossen. Sogar die Räuber und Mörder versagen sich gegenseitig nicht den Glauben und
vertrauen einander, daß sie bei ihrem Wort bleiben werden. Kurz und gut: überall im menschlichen Dasein
ist die Hoffnung am Werk; nur Gott allein ist's, auf
den man keine Hoffnung hat! Und obwohl unser Herr
sogar allen Stoff und alles Wesen in der Welt ver-   *
trauenswürdig gemacht hat, schenken doch fast alle diesem Schöpfer kein Vertrauen, der allein erst bewirkt hat,
daß alles auf Erden Vertrauen verdient.

13. Es gibt nur Einschränkungen, keine wirklichen
Ausnahmen von der Pflicht, das Vermögen zu verschenken

Man könnte aber hier vorbringen, es sei bisweilen
nicht das fehlende Vertrauen, sondern die zwingende
Not schuld, wenn die Menschen ihr Vermögen genießen;
und es sei nicht so, daß die Frommen auf Gott nicht
vertrauten, sondern sie legten nur das, was sie für die
Notdurft des Lebens unbedingt bräuchten, zurück. Denn
viele, und zwar ganz gottesfürchtige Menschen, seien
an einer völligen und vollkommenen Aufteilung ihrer
Habe verhindert, entweder wegen ihres Geschlechts oder
wegen ihres Alters oder auch durch die Schwäche und
Kränklichkeit ihres armseligen Körpers. Gut: mag dies
meinetwegen fortgenommen werden; aber wenn schon,
dann soll es so geschehen, daß je nach der Art der Nöte
und Gründe nur das Genügende behalten, das Überflüssige
aber abgelegt wird. Denn es sagt der Apostel: „Wenn wir
Nahrung und Kleidung haben, so lasset uns damit zu-

frieden sein. Denn die reich werden wollen, fallen in
Versuchung und in die Schlinge des Teufels."[1] Wir sehen
also: nur in dem wirklich Nötigen liegt das Heil, im
Überflüssigen ein Fallstrick; in der Mäßigkeit die Gnade
Gottes, im Reichtum eine Kette des Teufels. Was fügt
denn der Apostel unmittelbar daran? „Sie stürzen den
Menschen in Untergang und Verderben."[2] Wenn demnach
der Reichtum den Untergang in sich schließt, meiden
wir doch jede Üppigkeit, auf daß wir nicht in den Abgrund stürzen! Es heißt, ein großer, mächtiger Besitz
ziehe das Verderben nach sich; fliehen wir also den
großen Besitz, auf daß nicht das große Verderben folge!
Und mögen so das Geschlecht, das Alter, die körperliche Schwachheit etwas Notwendiges verlangen — immer müssen sie sich mit dem gerade Ausreichenden be-
gnügen; und alles, was den Lebensbedarf übersteigt, tut
dem Beruf eines Gottgeweihten Abbruch. Wer du auch
seiest — Mann oder Weib —, wenn du dich zu einem
Leben im Dienste Gottes bekannt hast und dann doch
noch begierig bist, Schätze anzusammeln und ein Vermögen anzuhäufen — es ist höchst überflüssig, daß du
Krankheit vorschützest! Kann denn das schwächere Geschlecht sein Leben nicht anders fristen, als wenn es
die Sorge um seine Seele durch die vielgestaltige Verwaltung eines mächtigen väterlichen Erbes zersplittert?
Können eine geweihte Jungfrau oder eine Witwe, die
Keuschheit gelobt hat, ihren erwählten heiligen Stand
nur dann unverletzt und mit Ausdauer bewahren, wenn
sie auf schweren Mengen Goldes und Silbers schlafen
und sich eines Besitzes bewußt sind, dessen Größe weit
über die Forderungen des Lebensbedarfs der Besitzer
hinausgeht? Oder: dem schwachen Geschlecht ist doch
ebenso wie der keuschen Zurückgezogenheit Ruhe und
Stille sehr vonnöten; glaubt nun wirklich irgendeine

---

[1] 1 Tim. 6, 8 f. Vulgata: Habentes autem alimenta et quibus
tegamur, contenti simus...

[2] 1 Tim. 6, 9. Vulgata: quae mergunt homines...

solche Frau, diese Ruhe und Stille — vielleicht nur von wenigen Mägden bedient — nicht ungestört hüten und pflegen zu können? Muß in ihren Ohren denn wirklich der Lärm einer riesigen Dienerschaft dröhnen und das Durcheinander und das Geschrei dieser lauten Schar um sie herum ihr Gehör abstumpfen? Für eine die Heiligkeit suchende und den wahren Frieden ersehnende Seele bedeutet es ja gewissermaßen schon eine arge Störung des Friedens, solches auch nur ansehen, geschweige denn erst ertragen zu müssen. Und wenn jemand auch solche Leute einer schweigsamen Zucht unterwerfen wollte, könnte er doch nicht ihre Unruhe mit seiner eigenen Ruhe niederhalten; so muß der Versuch, den Unfrieden anderer zu bessern, zu einer Zerstörung unseres eigenen Friedens führen. Was wir aber von dem schwachen Geschlecht sagten, das bezieht sich auf alle und paßt in gleicher Weise für den Vorwand des Alters, des Geschlechtes und der Krankheit. Nein, es darf wirklich kein Mensch glauben, der Reichtum stimme zum Leben in Gott oder schade ihm nicht: in Wahrheit bedeutet er doch eine Hemmung und keine Förderung, eine Last und keine Hilfe! Durch den Besitz und den Genuß von Reichtümern wird das gottverbundene Leben nicht gestützt, sondern gestürzt nach dem Wort, das der Herr selbst sagt: „Die Sorge dieser Welt und die Täuschung des Reichtums ersticken das Wort Gottes, und so bleibt es ohne Frucht."[1] Ja, ganz treffend und schön bezeichnet dieser Ausspruch den Reichtum als „täuschend". Gilt er doch gemeinhin als „Gut" und heißt auch so, und daher täuscht er die Menschen unter dem Namen eines irdischen Gutes, obwohl er die Ursache ewigen Verderbens ist.

14. Es ist töricht, kurzzeitige Entbehrung mehr zu
fürchten als ewiges Unglück

Aber immerhin: mag dies wirklich so sein, wie Gott vorausgesagt hat — trotzdem wollen wir etwas bei den

[1] Matth. 13, 22.

Kümmernissen und Ängsten von solchen Menschen verweilen, die da ohne große Besitztümer überhaupt ihr Leben nicht fristen zu können glauben. Nun: meinetwegen magst du, der oder die du den Namen und den Beruf einer gottgeweihten Person trägst — meinetwegen magst du deinen Reichtum, deine Güter bis zum Ende dieses irdischen Lebens haben, wenn du sie nur am Ende selbst für dich verwendest! Meinetwegen genieße deine Habe und dein Vermögen in diesem Leben, wenn du wenigstens beim Sterben deiner nicht vergissest und daran denkest, daß du deinen Besitz zu dessen Dienst und Ehre hingeben mußt, als dessen Gnadengabe du ihn nach deiner eigenen Erkenntnis erhalten hast! Seht, ihr Reichen dieser Welt, es ist ja so menschenfreundlich, so freudebringend, was von euch verlangt wird! Wenn es sich schon bei keinem von euch erreichen läßt, daß er auf dieser Welt arm sein will, so soll er sich doch das eine gönnen, daß er nicht in der Ewigkeit zu betteln braucht. Die ihr eine augenblickliche Armut scheut, warum fürchtet ihr sie nicht für die weite Zukunft? Wenn ihr für kurze Leiden so furchtsam seid, so meidet die langen, die endlosen! Warum verabscheut ihr in diesem Leben die Armut so sehr? Warum ängstigt ihr euch? Was ihr hienieden fürchtet, ist ja viel zu gering! Wenn ihr schon eine zeitweilige Bedürftigkeit als drückend empfindet, wie drückend erst — bedenkt! — wird jene sein, die niemals aufhört? Wir führen gewissermaßen die Sache eurer eigenen Seele und eures eigenen Gelübdes vor euch selbst! Wenn ihr wirklich des Genusses eurer Güter nicht ganz entraten wollt, sorgt dafür, daß ihr d e r e i n s t nichts entbehren müßt! Wir verlangen ja von euch etwas Köstliches, etwas Freudiges! Ihr, die ihr ohne Reichtum überhaupt nicht zu leben vermögt, sorgt dafür, daß ihr i m m e r reich sein könnt nach jenem Wort: „Wenn ihr euch also freuet an Thronsesseln und Diademen, ihr Könige des Volkes, liebet die Weisheit, auf daß ihr für immerdar herrschet!"[1] Übrigens: was für ein Irrtum, was für eine Torheit ist es, zu denken, es könne einen Menschen geben, der nach einem bis zum allerletzten Tag in Wohlhabenheit zugebrachten Leben — dies allein würde ja schon als Schuld genügen! — nicht einmal im letzten Augenblick weitblickend und heilsam an sich selber dächte, der nicht mit seinen eigenen Mitteln sich selbst noch in den letzten Zügen zu Hilfe eilte (zumal doch im Reichtum, der schon für sich allein seinen Herrn anklagt nach dem Wort: „Wehe euch Reichen...!" auch der Keim zu anderen Sünden für den Besitzer verborgen ist, die gerade im Mutterschoße des Reichtums wie in einer Art natürlichem Treibhaus aufgesproßt sind) — und der nicht in seinem letzten Stündlein noch dafür sorgt und danach trachtet und mit Aufgebot seiner ganzen Mittel es erreichen möchte, daß er nicht als Schuldiger fort müsse, nicht als Schuldiger von dieser Welt scheide, daß er trotz der Seelenqual des Augenblicks nicht auch für später den Leib der ewigen Qual überantworte? Wer also ist so treulos, so von Sinnen, der das nicht bedenkt und nicht fürchtet, der mit seiner Habe mehr für andere sorgt als für sich und, von jeglicher Hoffnung, von jeglicher Hilfe für dieses Leben verlassen, die eine, die allereinzige Planke, an die er sich noch wie ein Schiffbrüchiger mitten im Meer klammern könnte, losläßt — nein, nicht nur losläßt, sondern wegwirft, weit von sich schleudert — wenn er so auf jede Weise dahin arbeitet, sich ja kein Mittel übrig zu lassen, durch das er dem Verderben entrinnen könnte?

15. Der bis zum Tod gegen solche Einsicht verhärtete Mensch schadet sich selbst in furchtbarstem Grade

So sagt mir denn, ich bitte euch, ihr alle, die ihr Christus liebt, ob überhaupt irgendein Mensch so un-

[1] Weish. 6, 22. Vulgata: sceptris statt stemmatibus bei Salvian.

barmherzig, so grausam gegen seine Feinde sein kann, wie diese es gegen sich selbst sind? Nein: keiner ist so roh und so entmenscht, daß er nicht wenigstens den schon ganz verzweifelten, den sterbenden Mörder zu verfolgen aufhörte; solche Menschen aber verfolgen sich selbst noch an der Schwelle des Todes. Oder ist das etwa keine Verfolgung, oder kann es eine ärgere geben, als wenn ein Mensch von sich selbst des Erbes beraubt wird? Als wenn er aus seinem Besitztum fliehen muß? Als wenn er gleichsam von sich selber ins Elend gejagt wird? Und dies dazu nicht etwa auf allgemeine, gewöhnliche, sondern auf eine neue, ganz grausame Art: hier wird die Seele selbst ins Elend gejagt, hier wird der Geist seines ewigen Besitztums beraubt! O wie viel leichter sind äußerliche, körperliche Feinde zu ertragen! Sie sind ja doch nur Gegner des Leibes, ihr aber seid Widersacher eurer Seelen! Gering ist daher ihr Haß im Vergleich zu eurer Missetat! Was auf dieser Welt schadet, fällt nicht schwer ins Gewicht; das aber ist schwer, das ist verderblich, was für alle Ewigkeit tötet! Darum sagt der Heiland selbst: „Fürchtet diejenigen nicht, die zwar den Leib töten, die Seele aber nicht töten können."[1] Etwas Geringfügiges ist also der Haß, der den Leib verwundet, die Seele aber nicht verwundet; denn wenn auch der Leib verletzt ist — die Seele ist doch ohne Schaden geblieben, und durch das Leiden des Fleisches wird die Seligkeit des Geistes nicht getrübt. So ist jene Schuld ein unsühnbares, ja überhaupt ein unfaßbares Übel, das den ganzen Menschen für endlose Zeiten der Verdammnis überliefert. Und daher sind eure Feinde nicht so hart gegen euch, wie ihr selbst. Alle Feindschaft löst sich ja auch im Tode auf: Ihr aber handelt so euch selbst zuwider, daß ihr eurer Feindschaft nicht einmal nach dem Tod entrinnet!

---

[1] Matth. 10, 28. Vulgata: Nolite timere eos, qui occidunt corpus, animam autem non possunt occidere.

DRITTES BUCH

1. Verteilung von Reichtum und Besitz als erstes Gebot des Christseins

In den beiden vorausgehenden Büchern habe ich, meine Herrin, du Kirche Gottes, mit den zwei Gruppen deiner Kinder, der einen, die der Welt anhängt, und der anderen, die sich den Anschein eines gottgeweihten * Lebens gibt, gewissermaßen getrennt geredet. Im folgenden Buch aber möchte ich, wenn Gott mir gnädig ist, zu beiden reden, je nachdem es die Sache und die jeweilige Überlegung verlangen, indem ich mich bald an die eine oder andere, bald an beide zusammen wende. Es bleibt nur noch übrig, daß beide Teile, wenn sie im Laufe des Lesens die jeweils für sie bestimmten Gedanken erkennen, auch das mit der rechten Liebe zu Gott aufnehmen, was von mir aus Liebe zu Gott ausgesprochen wird. Nun haben wir in unseren ganzen bisherigen Ausführungen immer wieder die Barmherzigkeit und die Mildtätigkeit als das vorzüglichste Gut der Christen hervorgehoben; wir haben durch treffende — so darf ich wohl annehmen — und zahlreiche Zeugnisse bewiesen, daß in diesen Tugenden hervorragende Verdienste für die Frommen und auch hervorragende Heilmittel für die Sünder eingeschlossen sind; und so glaube ich, daß niemand noch Weiteres erwartet, zumal ja derjenige, der wirklich noch mehr Belege wünscht, sich nur an die heiligen Bücher selbst zu wenden braucht; denn diese sind so voll von gewichtigen Zeugnissen, daß es * fast nur ein einziges Zeugnis der gesamten Heiligen Schrift gibt. So bleibt nur noch übrig, auf solche ungläubige Einwände, die von einigen in der verderblichen Absicht einer Entschuldigung entgegengehalten zu werden pflegen, ein paar Worte zu erwidern. Der Heiland sagt im Evangelium, den Menschen werde Geld und Gut zu dem Zweck verliehen, daß sie das Verliehene mit vielfältigen Zinsen zurückgäben, indem er zum geizigen Schuldner also spricht: „Du böser und fauler Knecht, du wußtest, daß ich ernte, wo ich nicht säe, und sammele, wo ich nicht ausstreue. Du hättest also mein Geld den Wechslern anvertrauen sollen, und ich hätte bei meiner Ankunft das Meinige mit Zins zurückerhalten. Nehmt ihm also das Talent und gebt es dem, der zehn Talente hat!"[1] Und gleich darauf: „Und den unnützen Knecht werft hinaus in die äußerste Finsternis; da wird Heulen und Zähneknirschen sein."[2] Wenn diese Worte auch auf etwas anderes bezogen werden können, so lassen sie sich doch nicht ohne Gewinn auch an dieser Stelle und für unseren Zweck anwenden. Denn da man mit Recht unter den „Wechslern" des Heilandes die Armen und Bedürftigen verstehen kann, da sich das an sie verteilte Geld vermehrt, wird ohne Zweifel alles, was man an die Armen verausgabt, von Gott mit Zinsen zurückgegeben. Daher befiehlt der Herr selbst auch an einer anderen Stelle[3] den Reichen, die Schätze der Welt zu verteilen und sich Beutel zu machen, die nicht veralten. Aber auch durch das Gefäß seiner Auserwählung läßt er es verkünden,[4] daß den Wohlhabenden der Reichtum deswegen vom Herrn gegeben ist, damit sie an guten Werken reich werden. Und so behaupte auch ich, der geringste und unwürdigste Diener Gottes: Es ist das erste und heilsamste Gebot eines religiösen Lebens, daß ein reicher Christ, so lange er in diesem Leben weilt, die Reichtümer dieser Welt im Namen und zur Ehre Gottes verbraucht; das zweite aber wäre dies, daß er wenigstens beim Ster-

[1] Matth. 25, 26—28. Mit einigen Änderungen der Vulgata gegenüber.
[2] Ebd. 25, 30. [3] Luk. 12, 33. [4] 1 Tim. 6, 18.

ben alles verteilt, wenn er es schon vorher nicht getan hat, sei es durch die Furcht, sei es durch eine Krankheit, sei es durch irgendwelche andere Notwendigkeit daran verhindert.

2. Die Vererbung des Vermögens an die eigenen Kinder kann zur Not entschuldigt werden, nicht aber die an Fremde

Aber da sagt vielleicht einer: Ich habe doch Kinder! Nun hat über diesen Punkt schon ein früherer Abschnitt dieser Schrift, wie ich glaube, Zutreffendes und wirklich auch nicht wenig gesagt, und außerdem mag für diese Frage der Ausspruch des Herrn als Antwort genügen: „Wer seinen Sohn oder seine Tochter mehr liebt als mich, der ist meiner nicht wert."[1] Aber auch jenes Prophetenwort gehört hierher, daß die Väter nicht für die Söhne und die Söhne nicht für die Eltern gerichtet werden sollen, sondern daß jeder einzelne Mensch je nach seiner Gerechtigkeit gerettet werde oder nach seiner Ungerechtigkeit zugrunde gehe.[2] Und so wird es dem Menschen, welche Reichtümer er auch für seine Kinder zusammentrage, beim Gerichte gar nichts nützen, daß er einen reichen Erben hinterläßt. Aber immerhin: es mag den Eltern noch verziehen werden, wenn sie bis zu einem bestimmten Teil ihren Söhnen ein Vermögen vererben, — freilich soll es nur an Gute, nur an Gerechte fallen; ja schließlich mag ihnen sogar verziehen werden, wenn sie etwas an böse und lasterhafte Kinder vererben. Sie haben ja einen Schein von Entschuldigung für sich, indem sie sagen können: die Elternliebe hat in uns obgesiegt, die Kraft des Blutes hat uns dazu getrieben, ja die Natur selbst hat uns gewissermaßen durch die Hand der Liebe in ihren Bann gezogen. Wir wußten zwar, was die Gerechtigkeit Gottes forderte und was die heilige Wahrheit verlangte, aber wir unterlagen — so müssen

[1] Matth. 10, 37. [2] Ezech. 18, 20.

wir bekennen — dem Joch eines uns eingeborenen
Zwanges; wir ließen unsere Hände in Bande schlagen von
der Liebe zu den Unsern; so räumte der Glaube das
Feld dem Blute und das Recht der Verwandtenliebe
siegte über die Hingabe an Gott. Ja, so etwas kann wohl
vorgebracht werden; aber es ist nicht gut, wenn es vorgebracht wird; es ist das nur der Schatten einer armseligen Entschuldigung, die gar nichts entschuldigt, die
dem Schuldigen den schwachen Anschein einer Abbitte
verleiht, aber nicht eine Sicherheit über seine Schuld
selbst. Denn nach wie vor kann ich keinem Menschen
eine Sicherheit in irgendeinem Falle versprechen, der
irgend etwas mehr geliebt hat als Gott — nach jenem
Wort der Schrift,[1] das werde die Menschen verurteilen,
daß das Licht in die Welt gekommen sei und sie die
Finsternis mehr liebten als das Licht. Denn es ist doch
für niemanden zweifelhaft, daß all das für den Menschen eine Finsternis sein werde, was er der Liebe Gottes
vorzieht. So liegen nun die Dinge: und doch, sagte ich,
kann es den Eltern vielleicht nachgesehen werden, die
— allerdings auch nicht zu ihrem Heil — ihrer Natur
nachgeben. Aber da gibt es doch auch solche, die keine
Kinder haben und doch ihr Augenmerk ganz von ihrem
Seelenheil und von der Genugtuung für ihre Sünden ab-
wenden und die, obwohl sie selbst der Erben aus eigenem
Blute entbehren, doch nach irgendwelchen anderen auf
die Suche gehen, denen sie ihr ganzes eigenes Vermögen
zuschreiben könnten, denen sie also irgendwie den
schattenhaften Titel eines Verwandten verleihen, die sie,
selbst nur Eltern der bloßen Einbildung nach, zu ihren
Adoptivkindern machen, damit sie in die Stelle der nicht
vorhandenen eigenen Nachkommen einrücken können —
und die Treulosigkeit ist hierbei Erzeugerin! Und so
schaffen sich diese ganz unglücklichen und gottentfrem-
deten Menschen, da sie schon nicht durch die Fesseln
eigener Kinder gebunden sind, selber solche Fesseln, in

[1] Joh. 3, 19.

denen sie ihre unglücklichen Seelen erdrosseln; da schon
kein gefährlicher Zwang innerhalb der eigenen Familie
herrscht, holen sie die Gefahr von außen herein; und
wenn ja schon die Grundlagen zu Versuchungen fehlen,
stürzen sie sich gleichsam in das freigewählte Verderben.
Bei manchen mag es fast eine Frage scheinen, in welcher
Gemütsstimmung man ihren Irrtum aufnehmen soll: soll
man ihnen zürnen oder soll man sie bedauern? Der Irrtum, gewiß, verdient Mitleid, die Gottlosigkeit aber Verdammung; ihr Unglück treibt uns wohl zum Weinen, ihre
Untreue aber zum Zorn. In dem einen Fall möchten wir
trauern um die Torheit der Menschen, in einem anderen
uns um der Liebe Gottes willen erzürnen. Daß überhaupt
ein Mensch sich finden oder auf Erden sein kann, der
nach dem Ablauf dieses kurzen armseligen Lebens,
schon schwebend in der Angst des letzten Stündleins,
um im nächsten Augenblick vor den Richterstuhl Gottes
zu treten, — der also hier an irgend etwas anderes denkt,
als an sein Ende, an irgend etwas anderes als an sein
Verscheiden, an irgend etwas anderes als an seine Todesnot — und der auf seine ewige Hoffnung verzichtet und
sich nicht um seine Seele kümmert — ihr müßte er doch
wenigstens in seinem letzten Augenblick noch mit aller
Kraft und mit allen Mitteln, die er noch hat, in etwa zu
Hilfe kommen! — sondern der nur daran denkt, nur das
eine in seinem Sinne wälzt, wie köstlich sich sein Erbe
an seinem Vermögen weidet!

3. Vor Gottes Gericht zählt Barmherzigkeit, nicht
der Wohlstand der Erben

Du ganz unglücklicher Mensch, warum bist du so besorgt? Warum regst du dich so auf? Warum willst du
der Schöpfer von Gütern werden, die ja doch dem Verderben geweiht sind? Fürchtest du denn, es könnte an
Leuten fehlen, die nach deinem Tode aufzehren, was du
hinterlässest? Ich rate dir, dich hierüber ja nicht zu

ängstigen. O fiele es dir nur so leicht, selig zu werden,
wie es sicher ist, daß all das Deine zugrunde gehen wird!
Welch eine Glaubensarmut, welch eine Torheit! Ist es
doch sogar ein Satz im Volksmund: jeder wünscht sich
selbst etwas Besseres als einem anderen.[1] So ist es etwas
ganz ungeheuerlich Neues, wenn jemand für irgendeinen
anderen sorgen möchte, nur nicht für sich. Sieh, du ganz
erbärmlicher Mensch, du stehst im Begriff, zur göttlichen
Prüfung hinzugehen, zu jenem furchtbaren, nieder-
schmetternden Gericht, wo der heimatlosen, verängstig-
ten Seele kein Trost erstehen kann außer ganz allein ein
gutes Gewissen, außer ein unschuldiges Leben oder —
was einem guten Leben ganz nahe kommt — außer die
Barmherzigkeit — wo der schuldbeladene Mensch keine
Stütze finden kann außer in seiner mildtätigen Gesinnung, in einer fruchtbringenden Reue, in reichlichem All-
mosengeben — wo du endlich je nach dem verschiedenen
Wert deiner Verdienste entweder ewigen Lohn oder
endlose Qual erlangen wirst. Und da machst du dir noch
Gedanken, ob du weiß Gott welchen Erben bereichern
sollst! Du machst dir Kummer über die Habe deiner Verwandten und Verschwägerten, wen du wohl am besten
durch dein Vatergut noch bereichern kannst, wem du all
den bunten Kram und Zierat zuschreiben sollst, wessen
Truhen du mit deinen Besitztümern füllen sollst, wem
du die größere Zahl der Sklaven hinterlassen sollst! Du
armseligster aller Menschen, du denkst zwar daran, wie
gut andere nach dir leben können, denkst aber nicht, wie
schlecht du selbst stirbst! Sag mir doch, du armer und
treuloser Christ: wenn du dein Gut unter viele verteilst,
wenn du viele mit deinem Vermögen reich machst, warum
sorgst du für dich allein so schlecht, daß du dir nicht
einmal selbst unter all den Fremden den Platz eines
Erben sicherst? Sieh, bald wirst du aus diesem Leben
wandern, und schon wartet auf dich das Urteil des gött-

[1] Terentius, Andria II 5, 16: Omnis sibi malle melius esse
quam alteri.

lichen Richterstuhls; es warten auf dich die Teufel mit
ihren Foltern, die schrecklichen Henkersknechte der
ewigen Qualen — und du wälzest nur die künftigen Ver-
gnügungen der nach dir kommenden weltlichen Erben
im Sinn! Du quälst deinen Verstand mit dem Wohlleben
der anderen: etwa wie gut es deinem Erben geht, wenn
er dereinst von deinem Hab und Gut zehrt, mit welchen
Vorräten er seinen Bauch füllt, wie er seinen ohnehin
schon satten Magen noch bis zum Erbrechen vollstopft!
Du ganz Unglückseliger, was frommen dir denn solche
Trauerlieder? Was frommen dir solche Tollheiten? Was
nützt dir dieser törichte Irrtum, was diese nichtswürdige
Verworfenheit? Kann es dir beim hochpeinlichen Gericht zu Hilfe kommen, wenn der Erbe, der deine Habe
verpraßt, nach Bad und Frühstück behaglich rülpsen
kann?

4. Der Erblasser muß zuerst an sein Heil denken und
im übrigen sein Vermögen nach den richtigen Priori-
täten vererben

Aber auf die Fragen, die wir hier berühren, werden
wir später noch zurückkommen, wenn es der Gegenstand und der Gang der Darlegung verlangt. Einstweilen
möchte ich nur davon reden und nur dazu mit ganz besonderer Eindringlichkeit mahnen, daß keiner irgendeinem Lieben, auch dem teuersten, gegenüber seiner Seele
den Vorzug gebe! Es ist wirklich kein Unrecht, wenn ein
Christ auch für seine rechtmäßigen Erben auf dieser
Welt weniger aufhäuft, wenn er nur in der Ewigkeit sich
selbst auf alle mögliche Weise Hilfe bringt; denn es ist
ja auch erträglicher, wenn hienieden den Kindern etwas
fehlt, als wenn in alle Zukunft den Eltern etwas fehlt;
und die Dürftigkeit in diesem Leben ist viel weniger
drückend als die Armut in der Ewigkeit, zumal dort
drüben nicht allein die Armut zu fürchten ist, sondern
auch Tod und Pein, und es daher doch wirklich von

geringerer Bedeutung ist, wenn hienieden den Erben
etwas am Erbgut als wenn drüben den Erblassern etwas
an ihrem ewigen Heil fehlt; es müßten doch gerade diejenigen, denen eine Erbschaft zufällt — wenn sie noch
einen Funken von Pietät in sich haben —, ganz besonders
wünschen, daß die Erblasser nicht zugrunde gehen. Wünschen sie dies aber nicht, so sind sie erst recht nicht wert,
daß ihnen etwas vermacht wird; denn ein weiser Erblasser
tut ganz recht daran, wenn er nichts hinterläßt, was der
pietätlose Erbe nicht verdient. Daher ist es am besten,
wenn jeder für sich vorsorgt und alles für seine Seele
und sein künftiges Heil zurückläßt.

Freilich mögen bisweilen nicht bloß Kinder vorhanden
sein, denen man schon nach natürlichem Recht mehr
schuldig ist, sondern auch andere nahestehende Menschen; und ihr Verdienst und ihre Stellung mag so sein,
daß hier Gerechtigkeit und Gottesfurcht selbst eine ihnen
zugewiesene Schenkung in Schutz nehmen; und hier mag
es nicht bloß liebevoll sein, wenn man ihnen etwas vermacht, sondern sogar unfromm, wenn man ihnen nichts
vermacht, mögen es nun vom Leid heimgesuchte Eltern
oder treue Geschwister oder fromme Gattinnen oder —
um den Wirkungskreis der Güte und Milde noch zu er-
weitern — mögen es auch arme Verwandte oder mittel-
lose Verschwägerte oder endlich überhaupt solche sein,
die sich in irgendeiner Not befinden — oder gar solche —
und das ist das Höchste —, die sich Gott geweiht haben.
Denn das wäre das größte und hervorragendste Glück,
wenn einer seine Liebestat auch gleichzeitig zu einer
religiösen Tat machen könnte. Selig derjenige, der seine
Teuren im Geiste der göttlichen Liebe liebt, dessen Dienst
am Nächsten auch ein Dienst an Christus ist, der auch
in den Banden der Natur an Gott denken kann, den
Vater aller Natur, der seine Liebesgaben umwandeln
kann in heilige Opfer und der sich auf diese Weise so
viel unsterblichen Gewinn und selige Früchte sichert, daß
er die Gaben an seine Angehörigen seinem Herrn auf

Zinsen leiht und so gerade durch die zeitliche Freigebigkeit gegenüber den Seinen sich ewigen Lohn erwirbt! Zur Zeit aber tut man höchst verwerflich gerade das Gegenteil: niemandem wird von den Seinen weniger hinterlassen als solchen, denen aus Ehrfurcht vor Gott gerade mehr gebührt; auf niemand nimmt die Mildtätigkeit weniger Rücksicht als gerade auf solche, die ihr heiliger Stand empfiehlt. Und wenn von Eltern Kinder Gott dargebracht werden, so werden gerade die dargebrachten gegenüber allen anderen Kindern in den Hintergrund gerückt; man hält sie des Erbes für unwürdig, weil sie ja der göttlichen Weihe würdig gewesen seien; und so sinken sie bei den Eltern im Werte auf Grund der einzigen Tatsache, daß sie vor Gott wertvoll geworden sind. Daraus kann man schließen, daß fast niemand bei den Menschen weniger gilt als Gott; denn es geschieht offenbar aus Verachtung gegen ihn, wenn Eltern vornehmlich jene Kinder hintansetzen, die in Gottes Eigentum übergegangen sind.

5. Die Kinder im geistlichen Stand erblich zu benachteiligen ist ein verhängnisvolles Unrecht

Aber natürlich: die so handeln, geben auch gleich eine herrliche Rechenschaft über ihre Gedankengänge ab und sagen: „Wozu ist es denn notwendig, daß auf die Kinder, die schon den heiligen Beruf gewählt haben, der gleiche Anteil am Erbe fällt?" Nichts ist also gerechter, nichts verdienter, als daß sie, weil sie nun einmal Gott geweiht sind, betteln gehen! Nicht als ob die Entblößung von allem irdischen Gut und die Armut solche Menschen niederdrücken könnte, die den Himmel schon der Hoffnung nach besitzen und bald auch in Wirklichkeit besitzen werden, da sie doch unter Gottes Leitung und Schutz stehen, der ihnen zugleich mit der unsterblichen

Hoffnung auf die ewigen Güter auch genug zum zeitlichen Dasein spendet; nein, sie sind nur arm im Hinblick auf die herzlose Handlungsweise ihrer Eltern, von
denen sie mit Absicht der Armut überantwortet wurden.
Das aber ist ganz sicher: Wenn einige wirklich nicht
völlig aus dem Hause gejagt und auch nicht überhaupt
verbannt und geächtet werden, so werden sie doch bei
der Hinterlassenschaft so weit unter ihre Brüder gestellt, daß sie zwar nicht in bitterer Armut zu leben
brauchen, aber bei einem Vergleich doch arm erscheinen
müssen. Ihr fragt, wozu denn die gottgeweihten Personen
noch einen gerechten Anteil am väterlichen Erbe be-
nötigten. Da antworte ich: Damit sie ihres heiligen Amtes
walten können, damit das religiöse Leben durch den Besitz der Religiosen gefördert werde, damit sie spenden,
damit sie schenken können, damit alle, die nichts haben,
durch sie, wenn sie etwas haben, auch etwas haben; und
endlich, damit sie, wenn ihr Glaube so vollkommen ist,
auch nur besitzen, um bald nichts mehr zu besitzen, und
um so seliger zu werden, wenn sie zuerst besessen haben
und dann nichts mehr besitzen. Warum denn, ihr herz-
losen Eltern, legt ihr ihnen den Zwang einer ganz unwürdigen Armut auf? Überlaßt dies doch der Askese
selbst, der ihr ja euere Kinder übergeben habt! Es ist
viel richtiger, wenn sie aus sich selbst heraus arm werden! Wenn ihr nur den Wunsch habt, sie arm zu sehen,
nun, laßt nur ihre eigene Frömmigkeit dafür sorgen! Laßt
ihnen doch die Freiheit, arm werden zu wollen! Sie sollen
die Armut wählen, nicht aufgezwungen erhalten! Und
wenn sie dieselbe schließlich doch tragen müssen, so
sollen sie sie in frommer Demut auf sich nehmen und
nicht durch ein verdammendes Urteil erdulden! Warum
schließt ihr sie sozusagen aus der natürlichen Gemeinschaft aus? Warum sprecht ihr ihnen gewissermaßen das
Recht des Geblütes ab? Sicher: auch ich möchte sie
arm wissen, aber so, daß auch die heilige Armut ihren
Lohn erhalte und sie in einem herrlichen Tausche an

Stelle der Fülle die Armut wählen, auf daß sie dann
durch diese freie Wahl der Armut die Fülle erlangen!
Indessen wozu mühe ich mich ab, euch gerade durch den
Gedanken an eine heilige Pflicht zu Menschlichkeit und
Kinderliebe fortzureißen, da doch eben die Erwägung ein
Hindernis ist und die Eltern lieblos macht, die sie eigent-
lich liebevoll machen müßte? Denn während ihr aus
eurem Erbgut gerade deshalb den gottgeweihten Kindern
m e h r hinterlassen müßtet, damit etwas aus eurem Vermögen wenigstens auf dem Umweg über eure Kinder zu
Gott gelange, vererbt ihr gerade deswegen nichts an eure
Kinder, damit sie nichts haben, um es Gott zu überlassen.
Wenn ihr so eure Kinder nicht mehr anerkennet, begnügt
ihr euch freilich ganz herrlich mit dem vorsichtigen
Grund, sie möchten sonst sich nicht als Kinder Gottes
erkennen; und so vergeltet ihr die göttlichen Wohltaten
ganz prächtig, wenn ihr mit allem Eifer danach trachtet,
daß Gott nicht einmal über eure Angehörigen Ehre zuteil werde, während ihr doch alles von der Hand Gottes
habt! Warum, frage ich, handelt ihr so treulos, so gottes-
feindlich? Wir wollen ja gar nicht verlangen, daß ihr
das Eurige dem Herrn schenkt; aber gebt Gott nur etwas
von dem Seinigen zurück! Warum verfahrt ihr so geizig,
so lieblos? Es gehört gar nicht euch, was ihr da verweigert! Ihr meint also, es sei unbillig, wenn ihr eure
geistlichen Kinder mit den in der Welt gebliebenen dem
Vermögen nach auf gleiche Stufe stellt? So arbeitet ihr
darauf hin, daß sie es bereuen müssen, ein geistliches
Leben begonnen zu haben, wenn dieses Leben sie in euren
Augen minderwertig macht. Gnädig und gütig ist deshalb
der Herr, wenn er an ihnen seine Absicht und sein
Versprechen erfüllt; ihr aber wollt euererseits nur bezwecken, daß ihr die wieder zu Dienern der Welt macht,
denen ihr die Kinder der Welt vorziehet. Denn was
heißt es anderes, als einem das Ordensleben verbieten,
wenn man ihn ob dieses Lebens verachtet?

6. Es ist auch eine Beraubung Gottes, den Kindern geistlichen Standes nur die Nutznießung, nicht das Eigentumsrecht zuzuerkennen

Nun könnten wir aber in den Verdacht der Ungerechtigkeit kommen, wenn wir bei dieser Angelegenheit alle Eltern in gleicher Weise beschuldigen, da doch nicht alle gleich unbillig an ihren Kindern handeln. Es gibt nämlich, sagt da jemand, unter den Eltern manche, die für ihre Kinder gewiß gleiche Teile herstellen, aber nur in dem einen Punkt einen Unterschied machen, daß sie bei den Anteilen, die für die geistlichen Personen bestimmt scheinen, die Nutznießung zwar diesen, das Eigentum aber anderen übertragen. Ein solches Vorgehen ist jedoch noch viel schlimmer und treuloser! Denn offenbar ist es eine noch erträglichere Lieblosigkeit, wenn jemand seinen Kindern einen geringeren Teil zum Eigentum hinterläßt, als wenn er ihnen das Eigentum am Vermögen überhaupt wegnimmt. Schließlich mag man eine solche Bedingung bis zu einem gewissen Grade noch hinnehmen, wenn auf diese Weise entweder Freunden oder Verschwägerten oder Verwandten etwas vermacht wird; wer aber den Kindern das Eigentum an ihrem Vermögen nicht zuerkennt, hinterläßt ihnen gar nichts. Vielmehr hat hiermit die Ungerechtigkeit und Treulosigkeit der Eltern einen Weg gefunden, wie man Gott vom Erbe überhaupt ausschließen kann, indem man den gottverlobten Kindern das Eigentumsrecht entzieht. Man gibt ihnen zwar die Nutznießung, damit sie selbst den Lebensunterhalt hätten, — aber man nimmt ihnen das Eigentum, damit sie nichts bekommen, um es dann Gott zu hinterlassen. Eine neue Schlauheit der gottesfeindlichen Gesinnung! Sie hat entdeckt, wie man den Schein der Fürsorge für die Kinder erwecken kann, obwohl die Unehrlichkeit gegen Gott noch größer ist! Sie bringt es zuwege, daß ein gottgeweihter Nachkomme zwar den Genuß des

Vermögens, aber kein Recht auf das Vermögen hat, und
daß er so zwar im Reichtum leben kann, aber arm wie
ein Bettler sterben muß! Und also kann ein so treuloser
Erblasser getrost und sicher aus dieser Welt scheiden,
da er doch weiß, daß von seinem Hab und Gut wirklich
auch gar nichts Gott anheimfallen kann! Ja, wenn ich
oben sagte, durch die Nutznießung am Vermögen besäßen
die Kinder im geistlichen Stande wenigstens irgendeinen
Schein von Reichtum, so ist nicht einmal das ganz richtig;
denn wenn der Nießbrauch auch etwas zu besitzen
scheint, so besitzt das Gewissen doch in Wirklichkeit
nichts; niemand kann sich ja auch auf kurze Zeit für
reich halten, der weiß, daß er keinerlei Eigentum hat.

7. Freigelassene werden von ihren Herren
bisweilen besser behandelt als solche
Kinder von ihren Vätern

Wie handelst du, o unselige Treulosigkeit, in deiner
— ich kann nicht anders sagen — heidnischen, gottent-
fremdeten Verirrung? Ist dein Haß gegen Gott so groß,
daß du schon deine Kinder allein deswegen nicht lieben
kannst, weil sie Gott angehören? Es gibt ja Leute, die
ihre Freigelassenen in besseren Verhältnissen zurücklassen als du deine Kinder! Gehört es doch zum gewöhn-
lichen Brauch, daß Sklaven — sie brauchen nicht einmal
im allerbesten, aber doch in einem nicht unmenschlichen
Sklavenverhältnis zu leben — von ihren Herren mit der
„römischen Freiheit"[1] beschenkt werden, in der sie be-

[1] Die Freigelassenen, die im Besitz aller Rechte eines
römischen Bürgers waren, genossen die „Romana libertas".
Die mit der „Latina libertas" beschenkten Freigelassenen dagegen waren zwar im Besitz einer faktischen Freiheit und
genossen dabei den Schutz des Praetors, ihr Erwerb fiel aber
nach wie vor an den dominus, welcher nach ihrem Tode auch
ihr Vermögen einziehen konnte. Diese „Latini Juniani" (so
genannt nach der lex Junia, die ihre Verhältnisse regelte)
hatten kein Recht, ein Testament zu machen. Daneben gab
es als dritte Klasse der Freigelassenen die dediticii = Halb-
bürger.

kanntlich sowohl Eigentum an ihrem Sparvermögen, als
auch das Testierrecht erlangen, so daß sie im Leben ihre
Habe geben können, wem sie wollen, und im Sterben sie
ebenso verschenken und vermachen können; und nicht
allein das: auch das, was sie nach ihrer Sklavenzeit sich
erworben haben, dürfen sie ganz ungehindert aus dem
Hause ihrer Herren mit fortnehmen. Also: die Huld und
Freigebigkeit eines Patrons gewährt ihnen bisweilen so
viel, daß er sogar an seinem Rechte etwas abzieht, um
es dem Besitztum des Freigelassenen zu überlassen. Wie
viel besser, du ganz ungetreuer Vater — magst du sonst
sein, wer du willst —, wie viel besser gehen solche Herren mit ihren Freigelassenen um als du mit deinen Kindern! Was sie schenken, schenken sie zu dauerndem
Rechte, du nur zu zeitlichem; sie geben ihren Freigelassenen volle Entschlußfreiheit zu einem Testament,
du nimmst sie deinen Kindern; endlich: sie überantwor-
ten ihre Sklaven der Freiheit, du zwingst gleichsam
deine Kinder in die Sklaverei. Denn ein solches Ver-
fahren ist doch wirklich nichts anderes als eine Ver-
sklavung derer, denen du nicht gönnst, etwas wie Frei-
geborene zu besitzen. Du machst dir also die Sitte jener
Herren zu eigen, die ihre Sklaven, die sich keine Verdienste um sie erworben haben und die sie daher des
römischen Bürgerrechtes für unwürdig halten, unter das
Joch der „latinischen Freiheit"[1] beugen; sie lassen sie
also unter dem Namen von Freigelassenen ihr Leben
fristen, wollen aber nicht, daß sie beim Sterben etwas ihr
eigen nennen. Denn da ihnen die Freiheit des letzten
Willens versagt ist, können sie auch das, was sie wirklich haben, wenn sie den Herrn überleben, doch bei
ihrem Sterben nicht verschenken. So machst auch du
deine geistlichen Kinder gewissermaßen zu „latinischen"
Freigelassenen: sie sollen zwar leben, als ob sie Freie
wären, aber sterben wie Sklaven; sie sind durch die
Fessel der „latinischen Freiheit" gleichsam an das Recht

[1] S. Anmerkung auf vorhergehender Seite.

ihrer Brüder gebunden, auch wenn sie freien Willen zu haben scheinen, solange sie leben, — sie sollen aber doch gewissermaßen unter der Vormundschaft sterben. Siehst du denn — ich bitte dich — schon im Namen „Religion" ein solches Verbrechen, daß du diejenigen, die sich dem religiösen Dienste weihen, nicht mehr als deine Kinder anerkennst — nur deshalb, weil sie begonnen haben, Kinder Gottes zu sein? Was für einer Sünde — gleichsam mit bestem Willen — haben sie sich in deinen Augen schuldig gemacht, daß du glaubst, sie seien deswegen schlechter zu behandeln, weil sie besser zu sein wünschen?

8. Die Kinder geistlichen Standes verdienen den Vorzug vor denen in der Welt

Nun sagt ihr aber, ihr heget bei diesem Tun keine solche Absicht. Das ist gerade so, als wenn einer sagte, er verübe seine schlechten Taten in guter Absicht, und er sei ganz fromm dabei, wenn er ein gottloses Verbrechen begehe! Was kann es euch, ihr ganz unmenschlichen Eltern, was kann es euch nützen, wenn ihr allen Ernstes versichert, eure geistlichen Kinder würden von euch in guter Absicht der Ehre beraubt? Die Tat selbst ist's, die euch zurückstößt; die Tat ist's, die euch widerlegt! Das ist gar nichts wert, daß ihr mit bloßen Behauptungen etwas versichert, nein: ihr seid durch eure Handlungen selbst Zeugen wider euch! Ihr haltet es also für unbillig, daß eure gottgeweihten und Gott wohlgefälligen Kinder den der Welt dienenden Söhnen gleichgestellt werden? Ja wahr ist's, ihr habt richtig geurteilt: nur solltet ihr aus eurem Urteil eine gerechte, und zwar gerade die gegenteilige Nutzanwendung ziehen, das heißt: ihr solltet nicht glauben, daß die schlechten mit den guten Kindern und die Sünder mit den Heiligen auf eine Stufe gestellt werden dürfen; und diejenigen, die bei Gott durch ihr verdienstvolles Leben höher

stehen, die sollten auch bei euch größere Huld und
Ehre genießen. Denn was ist richtiger, was ist gerechter, als daß die Besseren auch die Geehrteren sind; daß
sie, die dem Gericht nach höher stehen, auch der Be-
lohnung nach höher stehen; und daß sie, die im heiligen
Evangelium den Vorrang haben, ihn auch in einem
menschlichen Testament haben? Und hier würde dann
der fromme Wille der Eltern mit dem Willen Christi
übereinstimmen, indem die Eltern gerade den Kindern
an Würde den Vorzug gäben, die Gott durch seine Auserwählung vorgezogen hat. Aber das alles geschieht
nicht nur nicht — nein, gerade das Gegenteil von allem
geschieht —: den Unschuldigen werden die Schuld-
befleckten, den Gläubigen die Gottlosen vorgezogen;
dem Licht wird die Finsternis, die Erde wird dem Himmel und die Welt wird Gott vorgezogen. Und fassen
solche Eltern wirklich nicht, daß sie ob dieser Sünde
allein dem Gerichte Gottes unrettbar verfallen sind, da
sie die Verehrung Gottes und die hohe Würde seines
Gerichtes durch ihr ganz unwürdiges Verhalten mit
Füßen treten?

9. Auch die Ausrede, die geistlichen Personen könnten niemandem mehr etwas hinterlassen, ist hinfällig

Aber freilich sagen da die Eltern, sie handelten so
nicht aus Verachtung gegen Gott, sondern auf Grund
sachlicher Überlegung. Denn wem, so wenden sie ein,
sollen diejenigen das hinterlassene Vermögen hinterlassen, die keine Kinder haben? Ich will sagen, wem;
und ich will nicht, wie oben, die Armen Gottes nennen,
keine fremden, keine weit entfernten Menschen, damit
es nicht als zu hart und unmenschlich erscheint. Nein,
ich meine jene ganz Lieben, jene ganz Engvertrauten,
die auch ihr, selbst wenn ihr viele Nachkommen habt,
* den Kindern vorzieht. Wir nennen die Menschen selbst,
ihr ungetreuen Eltern, wir nennen sie und niemand an-

deren!¹ Kann denn für irgend jemand auf der Welt
etwas Näherstehendes, etwas Lieberes erfunden werden
als er selbst? Wir empfehlen jedem von euch nur seine
eigene Seele, sein eigenes Heil, seine eigene Hoffnung.
Ihr heißt euch liebevoll, die ihr eure Kinder liebt?
Wahrlich, nichts kann hartherziger, nichts unmenschlicher, nichts so wild, nichts so herzlos genannt werden
wie ihr, von denen man nimmer erreichen kann, daß
ihr euch selber liebt. „Haut um Haut", sagt der Satan
in der Hl. Schrift, „alles, was der Mensch hat, gibt er
für seine Seele."² Daß also die Seele dem Menschen
das Allerteuerste ist, stellt auch der Teufel nicht in
Abrede; und gerade er, der mit ganzer Kraft alle von
der Liebe zu ihren Seelen abzuziehen sucht — und gerade er bekennt, daß die Seele einem jeden das Teuerste
sein muß; was für einen Wahnsinn bedeutet es also, daß
ihr eure Seele für wertlos erachtet, euere Seele, die sogar der Satan für kostbar hielt! Was für ein Wahnsinn, die Seele für wertlos zu erachten, von der sogar
derjenige, der sie wertlos zu machen sucht, sagt, daß
sie uns teuer sein muß! Und so lieben sich alle diejenigen, die ihre Seele vernachlässigen, weniger, als es
selbst der Teufel für richtig hält! Nun also: Sehet ihr,
die ihr da glaubt, die geistlichen Personen hätten ja
niemand, dem sie ihr Vermögen hinterlassen sollten,
sehet — sogar nach der Ansicht des Teufels —, sehet,
ob diejenigen niemanden haben, die sich selber haben!

10. Was lehrt die Apostelgeschichte über diese Frage?

Ich glaube nun, daß das bis jetzt Gesagte für den
Teil unserer Aufgabe, den wir gerade behandeln, genügen mag; aber vielleicht habt ihr den Wunsch, dies

¹ Diese Stelle ist in der Überlieferung verderbt und bis
jetzt noch durch keine Verbesserung geheilt. Wir haben ver-
sucht, in der Übersetzung wenigstens den notwendigen Sinn
herauszuheben.
² Job 2, 4.

alles nicht allein durch die Beweiskraft der Dinge selbst,
sondern auch durch die Autorität von Beispielen er-
härtet zu sehen. Zwar könnte ich sagen, Gottes Gebote
seien doch größer als alle Beispiele, und es bedeute für
das Ansehen des Wortes Gottes gar nichts, ob sie die
Menschen erfüllten oder nicht erfüllten; denn ihre Kraft
beruhe doch ganz sicher auf der Persönlichkeit Gottes,
nicht auf dem Gehorsam der Knechte; von uns aus
kann ihnen nichts hinzugefügt noch weggenommen werden, da ihre Geltung infolge ihrer göttlichen Urheber-
schaft immer gleich groß ist. Wenn jedoch die schwachen Menschen auch noch durch menschliche Vorbilder
gestützt werden wollen, damit auch sie um so leichter
das ausführen können, von dem sie erfahren, daß es
andere schon ausgeführt haben, so zeigten wir schon im
ersten Buch,[1] daß das, was auch jetzt von einigen Nach-
ahmern Christi getan wird, nicht in geringem, sondern
in höchstem Ausmaß, nicht von ganz wenigen, sondern
von ganzen Völkern, nicht von den Menschen der
grauen Vorzeit, sondern von solchen in der allerjüngsten
Zeit erfüllt worden ist. Was erzählt denn die Apostel-
geschichte Neues, was gleichsam heute noch vor unseren
Augen steht? „Alle, die da glaubten, hatten alles gemeinsam."[2] Und weiter: „Groß war die Gnade in ihnen
allen; denn kein Dürftiger war unter ihnen. Denn alle,
die Besitzer von Grundstücken oder Häusern waren,
verkauften sie, brachten den Erlös aus dem Verkauften
und legten ihn den Aposteln zu Füßen."[3] Und wieder
an anderer Stelle: „Keiner nannte von seinem Besitz
✵ etwas sein eigen, sondern sie hatten alles gemeinsam."[4]

[1] „Ostendimus primo libro." In Wirklichkeit spielt er auf
das zweite Buch (§ 13) an. Es läßt sich nicht sagen, ob es ein
Irrtum des Autors selbst oder des Abschreibers ist, oder ob
ursprünglich eine andere Bucheinteilung vorhanden war.

[2] Apg. 2, 44. Etwas anders in der Vulgata.

[3] Ebd. 4, 33—35. Etwas anders in der Vulgata, besonders
agrorum statt praediorum.

[4] Ebd. 4, 32.

Und das war nicht etwa nur eine kleine Zahl von Gläubigen! (Es könnte schließlich auf den einen oder anderen die Autorität der Hl. Schrift geringeren Eindruck
machen, wenn er glaubt, nur einige wenige hätten solch
ein Vorbild gegeben.) Wie groß die Gläubigenmenge in
der Urkirche war, läßt sich ja schon daraus allein erkennen, daß ganz am Anfang innerhalb zweier Tage
achttausend Menschen sich der Kirche angeschlossen
haben; und auf Grund einer Schätzung mag es klar
werden, welche Menschenmenge der verschiedensten
Herkunft sich in den übrigen Tagen zusammenfand,
wenn schon einzige zwei Tage eine solche Masse nur
von Männern hervorbringen konnten — ganz abgesehen
von einem anderen Lebensalter und Geschlecht! Wenn
also damals das Volk schon so ungeheuer zahlreich
und so vollkommen war, so frage ich euch, zu denen
ich rede, ob damals alle Eltern unter der gewaltigen
Menge von Gläubigen, die in solcher Vollkommenheit
lebten — ob alle Eltern Kinder hatten oder kinderlos
waren. Wohl keines von beiden; denn es gibt keine
Kirchengemeinde, in der nicht beide Gruppen vertreten
wären. Es können also die Christen, die keine Kinder
haben, erkennen, wem sie ihr Vermögen hinterlassen
sollen, da sie doch sehen, wem es die Kinderlosen damals hinterlassen haben. Haben sie aber Kinder, so
mögen auch sie lernen, was sie tun sollten, wenn sie
sehen, daß damals die Eltern der Liebe zu Gott vor
ihren Kindern den Vorzug gaben. Hier hat also jedes
Lebensalter und jede Lebenslage ein Vorbild: Wer teil-
hat am Glauben, soll sich auch teilhaftig machen am
heiligen Beispiel! Wenn die Christen von damals all
das Ihre herschenkten und sich selbst zu Lebzeiten ent- *
erbten, dann wollet doch ihr lernen, eure Güter beim
Tode selbst zu ererben! Ihr dürft ja, glaubt es mir doch,
auch mitten unter euren Kindern eures Seelenheils nicht
vergessen! Gewiß, eure Nachkommen stehen euch ganz
nahe und sind euch aufs engste verbunden: aber glaubt

es mir doch, niemand steht euch näher, niemand ist
euch enger verbunden als ihr selbst. Liebet daher —
wir haben nichts dagegen — liebet eure Kinder, aber
doch erst eine Stufe nach euch selbst! Liebet sie so, daß
ihr euch selbst nicht zu hassen scheinet! Denn das ist
eine sinnlose, törichte Liebe, die an einen anderen denkt
und an sich selbst nicht denkt. „Der Sohn", sagt die
Hl. Schrift, „soll nicht tragen des Vaters Sünde und der
Vater nicht die Sünde seines Sohnes."[1] Und der Apostel
sagt: „Ein jeder hat seine eigene Last zu tragen."[2]

11. Das warnende Gleichnis vom reichen Prasser und vom armen Lazarus

Wenn also Eltern ihren Kindern Reichtümer hinterlassen, so befreit sie das nicht von der tiefsten Armut;
im Gegenteil: eine allzugroße Hinterlassenschaft für die
Kinder bedeutet ewige Armut für die Eltern! Und so
fügt den Eltern niemand größeren Schaden zu als zu
sehr geliebte Kinder. Während nämlich diese im väterlichen Besitze schwelgen, leiden die Eltern ewige Pein.
Auch wenn etwa der Sohn noch so pietätvoll sein sollte
und, um die Qual des Vaters zu lindern,[3] hinterher die
vererbten Güter mit dem Vater noch teilen wollte — er
wird es nicht können: die Pietät des Sohnes kann nach
dem Tode keinem Vater das mehr zurückgeben, was
ihm die eigene Unfrömmigkeit und Treulosigkeit entzogen hat! Daher soll nach dem Apostel ein jeder an

[1] Ezech. 18, 20. Vulgata: portabit statt accipiet.
[2] Gal. 6, 5.
[3] „... parentes in sempiternitate cruciantur. Etiamsi tam
pius sit filius, ut refrigerandi supplicii paterni gratia communicare cum patre postea bona relicta cupiat, non valebit." Es ist
möglich, daß Salvian hier die vielverbreitete (theologische
und volkstümliche) Meinung bekämpft, nach der es ein Auf-
hören der Höllenstrafen (vgl. die Apokatastasis des Origenes!)
oder — und diese Variante liegt hier näher — eine Pause
oder zeitweilige Milderung der Qualen — ein „refrigerium
damnatorum" — gibt. Eine Zusammenfassung der jüngsten Literatur über dieses Problem s. Hist. Vjschr. 28 (1933), S. 409.

seine Last denken, da jeder Mensch an seiner Bürde
zu tragen hat. Die Feuerqual der unseligen Toten wird
nicht gemildert durch den Reichtum der Erben. Jener
Reiche im Evangelium,[1] der sich in Purpur und feine
Leinwand kleidete und der ohne Zweifel auf dieser
Welt sehr vermögend gewesen war, hatte bei seinem
Tode auch seine Erben reich gemacht. Aber es nützte
ihm gar nichts, daß seine reichen Brüder auf Gold
und Schätzen saßen, nicht einen Tropfen der Linderung
konnte es ihm verschaffen! Sie saßen im Überfluß, er
schmachtete in Armut; sie waren im Glück, er in Schmerzen; sie in Reichtümern, er in Qualen; sie lebten vielleicht in unaufhörlicher Prasserei, er litt in ewigen
Flammen. Ein unseliges, jammervolles Geschick! Mit
seinen Gütern hatte er anderen ein fröhliches Leben,
sich selbst den tiefsten Sturz verschafft; anderen Freuden, sich selbst Tränen; anderen eine kurze Lust, sich
selbst das unauslöschliche Feuer! Wo waren da seine
Verschwägerten, wo die Verwandten, wo auch seine
Kinder, wenn er solche besessen hatte, wo selbst seine
Brüder, deren er gedachte, und die er sicher mit solcher
Liebe geliebt hatte, daß er ihrer nicht einmal mitten in
seiner Pein vergaß? Was konnten sie ihm nützen, wie
ihm helfen? Der Unglückliche wurde gepeinigt; und
während andere seinen Reichtum verzehrten, mußte er
in der Glut um einen lindernden Tropfen bitten, ohne
ihn erhalten zu können! Und dazu — wenn eine solche
Strafe überhaupt noch vergrößert werden kann — mußte
er diesen Tropfen von jenem erbitten, den er einstmals
verachtet hatte; von dem, der einst in eitrigen Geschwü-
ren dahingefault war; von dem, dessen Gestank und
Schmutz er in weitem Bogen ausgewichen war, der mit
den Schwären seiner Glieder die Hunde gefüttert hatte,
den die ganzen Haufen von wimmelnden Würmern bis
in das Innerste seines zerfressenen Leibes hinein auf-
gebissen hatten. O furchtbare, o traurige Lage! Der Arme

[1] Luk. 16, 19 ff.

erkauft mit seiner Dürftigkeit die Seligkeit, der Reiche
mit seinem Vermögen die Verdammnis; der Arme, der
gar nichts besaß, konnte sich mit seiner Armut ewigen
Reichtum erwerben. O wie viel leichter hätte diesen
mit seinem großen Besitz der Reiche erwerben können,
der da mitten in der brennenden Qual seiner Strafe
ausrief: „Vater Abraham, erbarme dich meiner und
schicke den Lazarus zu mir herab, daß er seine Finger-
spitze in das Wasser tauche und meine Zunge kühle;
denn ich leide Qual in dieser Flamme!"[1] Wahrlich, nun
verabscheute der reiche Mann nicht mehr die Hand des
einst armen Lazarus und verschmähte nicht seine Hilfe;
ja er verlangte, daß er seine Finger in seinen Mund
stecke, und empfände es als Gnadengeschenk, wenn nun
die unerträgliche Hitze seiner Kehle von seiner ehedem
so häßlichen, eitrigen Hand abgekühlt würde. Welcher
Wandel des Geschicks war da eingetreten! Ja, jetzt
sehnte er sich nach einer Berührung von jenem, den er
einst nicht einmal hatte sehen wollen.

12. **Zu spät kommt jegliche Reue nach dem
      Gericht**

Daran mögen also die Reichen denken, die sich nicht
entschließen können, sich mit ihrem Vermögen von solchen Leiden loszukaufen. Reich war jener, von dem wir
gerade sprachen; reich sind auch die, zu denen wir jetzt
sprechen. Sie tragen die gleiche Bezeichnung; sie sollen
sich hüten, auch in die gleiche Lage zu kommen! Denn
nicht werden die reichen Söhne ihre schuldigen Eltern
befreien; und ein vermöglicher Erbe wird mit all dem
Überfluß seines Wohllebens die Flammen, in denen der
unglückliche Erblasser weilt, nicht auslöschen. Wohl ist
es hart, wenn jemand seinen Kindern und Verwandten
zu wenig hinterläßt: aber noch viel härter ist die Pein
in der Ewigkeit! Ich glaube nämlich, daß jenen Reichen in seiner Qual die Schätze seines Erben nicht in

[1] Luk. 16, 24.

dem Maße freuen konnten, wie ihn die Foltern seines
Leibes ängstigten; daß es ihm nicht so viel Freude
machte, daß sein Erbe ein gutes Mahl halten konnte,
als es ihn bedrückte, daß er selbst so fürchterlich ge-
quält wurde; — daß es ihn nicht so sehr freute, daß
sein Erbe in auserlesenen Genüssen schwelgte, als es
ihn ängstigte, daß er selbst in unerträglicher Glut
welkte; — daß es ihn nicht so freute, wenn sein Erbe
Parasiten und Schlemmer mit seinem Besitztum füt-
terte, als es ihn peinigte, daß er selbst mit seinem Mark
die Flammen nähren mußte. Und ich glaube: wenn ihm
damals einer die Wahl freigestellt hätte, ob er lieber
seine Erben im Reichtum oder sich ohne Elend und
Qual wissen wolle — wahrlich er hätte sicher lieber jene
völlig enterbt, wenn er nur von all seinen Leiden erlöst
worden wäre; er hätte lieber all seinen Besitz hingegeben,
wenn er nur dem entronnen wäre, was er nun erdulden
mußte; er hätte sein ganzes großes Vermögen und alle
vergänglichen Schätze Goldes und Silbers für sich geopfert, nur um jene immerwährenden, ewigen Martern
und jene unaufhörliche Glut, wenn er es irgendwie ver-
möchte, durch die darauf geworfene Masse seines Reichtums auszulöschen und die ihn allenthalben umlodern-
den Feuerwogen durch die unermeßliche Fülle seiner
Besitztümer zurückzudämmen. Was sage ich? Er habe
das alles gewollt, um sich von jenem grenzenlosen Unheil durch sein Vermögen loszukaufen? Nein, ich muß
noch mehr sagen: Er hätte gerne all seine reiche Habe
hingegeben, nur um damit mitten in den Flammen auch
nur ein einziges Stündlein der Ruhe zu erlangen! Denn
wenn er schon zur Erquickung seiner brennenden Kehle
sich nach dem angefeuchteten Finger des Armen sehnt,
wie hätte er nicht um jeglichen, auch noch so hohen
Preis sich eine Rast erkauft, da er doch schon einen
einzigen Tropfen Labe mit solcher Inbrunst verlangte?
Aber was nützte dies alles? Was half es nun dem Unglücklichen, daß er jetzt alles für sich opfern wollte,

nachdem er es vorher nicht gewollt? Oder was nützte
es ihm jetzt, daß er alles zu verschenken wünschte, was
er schon verloren hatte, er, der zu der Zeit, da er noch
alles hatte, nichts für sich hatte hingeben wollen? Wahrlich, zu spät kommt, wie der Heilige Geist in der Schrift
sagt, zu spät kommt die Reue der Toten. „Gibt es doch",
sagt das göttliche Wort zu Gott dem Vater, „gibt es
doch im Tode keinen, der deiner gedenkt; in der Unter-
welt, wer kann dir da bekennen?"[1] So wird bezeugt,
daß der tote Sünder gänzlich von einem Bekenntnis
seiner Sünden ausgeschlossen ist, und daß keiner später
Gottes eingedenk sein kann, der in diesem Leben seiner
vergessen hat. Ja, es gibt nur einen Weg des Heils für
den Schuldigen, nämlich Gott mit Bitten zu bestürmen
und unaufhörlich seine Barmherzigkeit anzuflehen; aber
einem solchen Sünder ist jegliche Hoffnung so völlig
abgeschnitten, so fest jeder Zugang des Lebens ver-
riegelt, daß ihn auch noch die Strafe eines tödlichen
Vergessens trifft: ihm bleibt nicht einmal mehr das Gedenken an Gott, von dem er Heil erhoffen müßte! Daran
sollen also jene denken, die, nur weil sie nach dem Tode
reiche Kinder zu haben wünschen, sich nicht einmal im
Tode an das künftige Strafgericht erinnern! Daran sollen jene denken, die, nur um in diesem vergänglichen,
kurzen Leben reiche Erben zu haben, sich selbst zu ewigem Tode verurteilen! Auf diese Art ist ihre Liebe zu
jenen geringer als ihr Haß gegen sich selbst; denn eine
Liebe, die nur auf kurze Zeit vorsorgt, ist nicht so heilsam, als der Haß mächtig ist, der Foltern schafft für alle
Ewigkeit. Und daher befiehlt auch unser Gott — wir
haben es schon im ersten Buche gesagt[2] —, den Eltern,
für ihre Kinder nicht Geld, sondern sittliche Zucht anzuhäufen; er heißt sie Ewiges, nicht Hinfälliges sammeln. Ein solcher Besitz, ein so heiliges Werk nützt ja
gleichermaßen den Kindern wie den Eltern: den Kindern wegen ihrer Erziehung zu sittlicher Zucht, den El-

[1] Ps. 6, 6. [2] Lib. I 21.

tern wegen ihrer Freigebigkeit und Wohltätigkeit. Und
den Kindern gewährleistet die sittliche Zucht die Erlangung des ewigen Heils, den Eltern aber ihre Wohltätigkeit die Erlösung vom ewigen Tod.

13. Die törichte Suche nach fremden Erben

Aber wem sagen wir dies alles, und warum sagen wir
es? Wo werden wir offene Ohren und sehende Augen
finden können? Wir lesen doch von den Gottlosen:
„Alle, fast alle sind abgewichen, alle zusammen sind
verdorben; keiner ist, der Gutes tut, fast auch nicht
einer!"[1] Eine neue Torheit hat jetzt Weltleute sowohl
wie auch einige, die sich dem Dienste Gottes geweiht
haben, befallen. Wir haben schon davon zu reden begonnen: sie weisen ihr eigenes Vermögen, den Preis für
ihren Loskauf, schon nicht mehr bloß ihren Kindern und
Enkeln zu — das könnte ja noch aus einem natürlichen
Zwang heraus geschehen —, nein, sie weisen es auch
Verwandten und Verschwägerten zu, und zwar nicht
nur, wie man sagt,[2] in geradliniger Abstammung, sondern auch solchen aus Neben- und Querlinien, ja sagen
wir gleich: solchen aus einer ganz fremden und ver-
kehrten Richtung. Und sie machen schon keinen Unterschied mehr, für wen sie nun sorgen, wenn sie nur für
sich nicht zu sorgen brauchen! Wenn nämlich solche,
von denen die Rede ist, beim Herannahen des Todes
keine Kinder haben, dann suchen sie in ihrer Treulosigkeit nach solchen, die sie Verwandte oder Verschwägerte nennen können; oder wenn es auch daran fehlt,
suchen sie nach etwas Neuem, dem man künstlich den
Namen Verwandtschaft geben kann. Und, wie ich sagte,
es liegt ihnen nichts daran, wessen sie gedenken, wenn

---

[1] Ps. 13, 3; paene läßt die Vulgata weg.
[2] Diese Ausführungen scheinen auf die juristischen Studien
und Kenntnisse Salvians hinzuweisen.

sie nur ihrer selbst vergessen; es liegt nichts daran, wen
sie zu lieben vorgeben, wenn sie nur ihre eigene Seele
hassen; es liegt nichts daran, wen sie reich machen, wenn
sie nur sich selbst in ewiger Armut verzehren können!

14. Warum ist ein solches Verfahren so töricht?

O Unglück, o Wahnsinn! Was haben nur diese ganz
armseligen Menschen verbrochen, daß sie sich selbst
beständig verfolgen müssen, während sie dem Vergnügen
anderer dienen? Da kann man sehen, wie einige in ihrer
ganz unseligen Verblendung nach neuen und vornehmen
Verwandten suchen; man kann beschämende Titel für
bisher unbekannte Verwandtschaften und lächerliche
Lügen über hochmächtige Gevatterschaften hören, wenn
da einer von irgendeinem plötzlich auftauchenden Adoptiverben sagt: Den und den Vetter mache ich zu meinem
Erben — oder wenn irgendeine gottverlobte Witwe
oder Jungfrau erklärt: Den und den Verwandten setze
ich als meinen Erben ein. Und so kommen im letzten
Augenblick manche Leute urplötzlich zu Verwandten,
die sie zeitlebens für fern und fremd gehalten haben;
und die den Lebenden völlig fern gestanden waren,
werden auf einmal die teuren Angehörigen der Toten!
Man setzt Leute ins Testament, die man nie in seine
Liebe eingesetzt hat; und, wie gesagt, das sind vor allem
reiche oder vornehme oder hochangesehene Leute, die
vielleicht nur, weil sie mächtig sind, zu Verwandten
geworden sind! Es ist doch von so einem unglücklichen
Erblasser ein lächerlicher Ehrgeiz, wenn er den ganzen
Wert seines Vermögens daran gibt, um eine Verwandtschaft zu erhalten; wenn er um den Preis der Erbschaft
nur den Namen eines Erben erkauft und mit seinem
ganzen mächtigen Vätergut nur das bezwecken möchte,
daß der zum Erben Erkorene ja die Verwandtschaft
nicht verleugne und damit der unglückliche Erblasser,

der in seinem Leben zu niedrig eingeschätzt wurde, im
Tode um so angesehener erscheine, wenn er sich in seiner törichten und armseligen Eitelkeit glücklich einen
vornehmen Erben geschaffen hat. O wahnsinnige Verblendung! Ihr unseligen Menschen, welchen Eifer wendet
ihr daran, nur um in der Ewigkeit unglücklich zu sein?
Wieviel weniger Sorge, wieviel weniger Anstrengung
würde es euch kosten, für immer glücklich zu werden?
Für ein solches Gebaren kann ich beim besten Willen
keine andere Ursache finden als den Unglauben und die
Untreue, insoferne die Menschen wohl nicht annehmen,
daß sie dereinst von Gott gerichtet werden müssen,
oder überhaupt nicht an ihre dereinstige Auferstehung
glauben. Denn es gibt keinen, der seiner Auferstehung
und des notwendigen Gerichtes Gottes über seine guten
und bösen Werke gewiß ist und der nicht zu gleicher
Zeit für seine ewige Hoffnung und Seligkeit besorgt
wäre, um für seine guten Taten ewige Güter zu ge-
winnen, oder nicht in Angst und Bangen schwebte, um
für seine üblen Taten nicht das ewige Übel zu erleiden.

15. Der innere Widerspruch einer solchen Handlungsweise

Freilich scheint es mit dem Namen eines Christen un-
vereinbar zu sein, wenn jemandem der Glaube an die Zukunft abgesprochen wird. Welchen Grund also hat es,
daß einer, der an Gottes Wort glaubt, nicht seine
Drohungen fürchtet? Daß einer, der den Worten[1] glaubt,
die Gott gesprochen hat, nicht an die Belohnungen
glaubt, die Gott verspricht? Denn derjenige beweist,
daß er nicht an die Verheißungen Gottes glaubt, der
nicht so handelt, daß er zu den von Gott verheißenen

---

[1] Die Ausgaben haben: si non credit verbis, quae dixit deus,
non credat praemiis, quae promittit deus? Der Sinn und der
Parallelismus mit dem vorhergehenden Satz erfordern jedoch
die Tilgung des ersten „non".

Belohnungen gelangen kann. Und dabei ist es doch
schon in diesem Leben so: Wenn jemand einmal weiß,
daß er von einer menschlichen Behörde abgeurteilt und
vor einen irdischen Richterstuhl geschleppt werden soll,
dann sucht er nach Verteidigern, dann zieht er Patrone
heran, dann erkauft er sich Huld und Gnade von den
Beamten; und dies alles tut er nur aus Furcht vor dem
kommenden Gericht, während er doch das endgültige
Urteil damit nicht erwerben kann. Wenn er so auch den
Sieg selbst nicht kaufen kann, so kauft er doch wenigstens die Hoffnung auf Sieg um hohen Preis. Wer du
auch seist und behauptest, du glaubest an das Gericht
Gottes, sag mir doch: Wenn nun du nach dem Vorbild
der eben geschilderten Leute glauben würdest, daß Gott
über dich urteilt, würdest du nicht um jeden Preis die
Hoffnung auf dein Heil zu erwerben trachten? Aber in
Wirklichkeit glaubst du eben nicht daran, du glaubst
nicht! Und magst du auch deine Gläubigkeit mit Worten beteuern, du glaubst doch nicht! Mit Worten be-
kennst du, wie der Apostel sagt,[1] aber durch deine
Handlungen verleugnest du! Um endlich deinen Unglauben dir aus dir selbst heraus zu beweisen — sag
mir doch, ich beschwöre dich, wer du auch seiest, der
du dein Vermögen irgendeinem Verwandten oder Verschwägerten oder, wenn auch die gerade fehlen, einem
Fremden hinterlässest — sag mir doch, warum du dich
dieses Vermögens nicht entäußert hast, solange du ge-
sund und bei Kräften warst. Warum hast du es nicht
in ungeschwächter Rüstigkeit deinen Erben übergeben,
sondern sorgst dich erst im Testament so gewissenhaft
und schreibst mit sorgfältigem Eifer hin: „Wenn ich
aus dieser Zeitlichkeit geschieden bin, dann sollst du,
Teuerster, mein Erbe sein"? Sag mir doch, warum du
* diesem, wie du sagst, Teuersten solange nichts von
* dem Deinen überlässest, als du glaubst, noch weiter zu
leben, sondern erst dann, wenn du siehst, daß es ans

[1] Tit. 1, 16.

Sterben geht. Was sage ich, wenn du siehst, daß es ans
Sterben geht? O nein! Du triffst ganz peinlich Fürsorge,
daß er ja nichts von dem Deinen bekomme, solange du
noch atmest oder noch im Sterben bist, sondern erst,
wenn du wirklich abgeschieden und tot bist. Es ist nur
ein Wunder, daß du soviel zugibst, daß er schon nach
deinem Ableben deinen Besitz erhält und nicht erst nach
deinem letzten Gang und deiner Beerdigung! Du scheinst
allerdings mit deinen Worten: „...wenn ich alles Zeitliche verlassen habe ..." doch auch dafür gesorgt zu
haben. Denn erst dann hat man alles Zeitliche völlig
hinter sich gelassen, erst dann hat der Mensch ganz und
gar mit seinem Leibe unter den Menschen zu weilen
aufgehört! Sag mir also, warum du im Testament so
vorsorglich bist, warum du so bedacht und klug einen
solchen Satz einfügst? Ohne Zweifel nur darum, weil
du meinst, daß dein Besitz, solange du am Leben bist,
für dich notwendig ist, weil du dich von deiner Habe
nicht trennen willst und es für ganz ungerechtfertigt
hältst, wenn ein anderer, solange du am Leben und bei
Gesundheit bist, durch das Deinige reich würde, du
aber dich in Armut verzehren müßtest. Das hat seine
Richtigkeit, und ich lehne eine solche Sorge nicht als
unvernünftig ab und ich billige durchaus, was du in
dieser Richtung sagst. Aber nur in e i n e m Punkt sollst
du mich zufrieden stellen! Wenn du den Genuß deines
Besitzes so notwendig für dich hältst, warum glaubst
du, daß die Früchte und Einkünfte deines Vermögens
nach dem Tode nicht notwendig sind? Ja, wirst du
ohne Zweifel sagen, nach dem Tode brauche ich nichts
mehr und muß also für jene Zeit nichts aufheben; denn
wenn ich einmal tot bin und nichts mehr verspüre, kann
ich mich weder über den Besitz meiner Güter freuen
noch mich über ihren Verlust quälen. Das ist ein wirklich einleuchtender Grund! Du überweisest also beim
Sterben dein Vermögen einem anderen nur deshalb, weil
du selbst nach deinem Tod aus ihm keinen Gewinn mehr

ziehen kannst. Aber bedenke, was der Apostel Paulus,
das auserwählteste Gefäß Gottes, so laut bezeugt:[1] daß
alles, was der Mensch in diesem Leben säet, er auch
nach dem Tode erntet, und daß der, der kärglich säet,
auch kärglich ernten wird; und wer aus Segen säet, wird
auch aus Segen ernten! Offenbar wollte er diesen Satz
dahin verstanden wissen, daß diejenigen, die mit ihrem
Säen kargen, auch keinen Segen ernten können; denn
wenn er sagt: wer kärglich säet, wird auch kärglich
ernten, und wer aus dem Segen säet, wird aus dem Segen
ernten, und wenn er so den Segen offensichtlich ganz
allein auf reichliche Freigebigkeit gründet, so zeigt er,
daß die kärglichen Säer Armut, die freigebigen aber
Segen ernten werden.

16. Auch die geringste Gabe wird von Gott belohnt

Vielleicht aber scheint dir, Ungläubigem, wo du auch
seist, dies alles zu wenig beweiskräftig oder zu wenig
einleuchtend. Jedoch lehrt der Herr selbst im Evangelium ganz klar, daß kein Christ etwas von seinen
guten Werken verliere: „Jeder, der einem von diesen
Geringsten nur einen Becher frischen Wassers zum
Trunke gibt auf den Namen eines Jüngers hin, wahrlich,
ich sage euch: er wird seinen Lohn nicht einbüßen!"[2]
Kann etwas noch deutlicher gesagt werden? Sagt er
doch, daß in der Zukunft sogar eine Sache ihren Lohn
erhielte, die in der Gegenwart keinen Wert hätte. So
viel der Ehre weist er seinem Dienste zu, daß dort drüben etwas durch den Glauben wirklich zu etwas wird,
was hier durch seine Wertlosigkeit eigentlich gar nichts
war. Auf daß sich aber gewisse Leute nicht schon damit schmeicheln, daß sie trotz ihres großen Besitzes um
einen geringen Preis Großes erkaufen können, drückt er
es ganz genau so aus, daß auch für einen Becher frischen
Wassers der Lohn nicht zugrunde gehen werde; damit

[1] 2 Kor. 9, 6. [2] Matth. 10, 42.

zeigt er ganz deutlich, nicht daß für etwas Geringes
etwas Großes zurückerstattet werden soll, wohl aber,
daß kein Werk des Glaubens, wie es auch sein mag,
untergehen werde. Da hast du also die zweifellose
Sicherheit einer künftigen Vergeltung, da hast du einen
hinlänglichen Bürgen für die Aufnahme der guten
Werke; dieser Bürge ist nicht bloß so unendlich treu,
nein, auch so barmherzig und gnädig, daß er nicht allein
sein Versprechen wie eine Schuld einlöst, sondern sogar noch darauf hinweist, wie er sich zum Schuldner
macht. Denn wer da sagt, er werde einen Becher frischen
Wassers belohnen, der will nicht nur bezahlen, was er
erhalten hat, nein, er zeigt auch gleich auf, was er bezahlen will. In seiner Gnade, in seiner Barmherzigkeit
und in seinem fürsorglichen Wollen zeigt er nicht bloß
der Freigebigkeit der Reichen, sondern auch schon dem
Pflichteifer der Armen, wie sich auch einer, der gar
nichts zum Ausleihen auf Zins besitzt, doch in irgendeiner Form Gott zum Schuldner machen könne.

17. Jeder ist nach der Größe seines Vermögens verpflichtet

Nun mag es aber sein, daß dir, einem Reichen, ein solches Liebeswerk der Armut als deinem Vermögen nicht ⁎
angemessen erscheint und daß du ein feierliches Versprechen hören möchtest, das gerade auf dich paßt! Da
hast du als erstes das Wort Gottes an den Reichen im
Evangelium: „Geh' hin, verkaufe deine Güter, und du
wirst einen Schatz im Himmel haben!"[1] Und dann jenes
streng verpflichtende[2] Gebot, das da ganz allgemein befiehlt: „Sammelt euch nicht Schätze auf der Erde, sammelt euch aber Schätze im Himmel!"[3] Und endlich jene

[1] Matth. 19, 21; in der Vulgata etwas anders.
[2] Praecepto interdictorio: das Adjektiv interdictorius ist
nach Pauly ein ἄπαξ εἰρημένον; Hirner a. a. O. S. 16 rechnet
das Wort zu denen, die „apud bonos scriptores non leguntur".
[3] Matth. 6, 19 f.

Worte, mit denen der Herr alle Besitzer weltlicher Güter zu reichlichen und mildtätigen Werken in der Hoffnung auf die kommende Vergeltung einlädt, wenn er
sagt, daß jeder, der zu seiner Ehre und aus Liebe zu
ihm sein Haus oder seinen Acker oder irgendein anderes
Stück seiner Habe zu einem barmherzigen Zweck ver-
äußert, es in der Zukunft hundertfach zurückerhalten
werde; und obendrein, heißt es, „wird er das ewige Leben
besitzen."[1] Konnte er denen, die an ihn glauben, etwas
Größeres versprechen, als daß er seinen großen Gläu-
bigern zusagte, er werde das Hundertfache zurückzahlen? Und nicht allein das, sondern „das ewige Leben", sagt er, „wird ein solcher besitzen". Das ist viel
mehr als selbst die Zurückzahlung des Hundertfachen,
weil einer selbst das, was er hundertfach erhält, für immer besitzen wird. Es wird also dann keinen hinfälligen,
vergänglichen Besitz mehr geben, keinen, der nach Art
des irdischen Reichtums vergehen wird wie ein Schatten,
der vorüberzieht, oder wie ein Traum, der entflieht! Nein,
was dann von Gott gegeben wird, das wird unsterblich
sein; was der Mensch dann empfängt, wird endlos
dauern. Und deshalb empfängt, wie ich sagte, einer,
der so empfängt, mehr als das Hundertfache, weil es
doch den Wert des Hundertfachen übersteigt, wenn
dieses Hundertfache ewig ist.

18. Der Mensch hat nichts Kostbareres zu retten als seine Seele

Wenn nun dem so ist, und wenn einer, der an Gott
glaubt, zweifellos so großen Lohn erhält, warum meinst
denn du, daß du von dem, was du Gott schenkst, nach
dem Tode keinen Genuß mehr hast? Verspricht dir doch
der Herr nicht nur den Genuß davon, sondern sogar eine
Mehrung, eine Häufung in überragendem Maß! Oder
willst du vielleicht all dies Große gar nicht erhalten?

[1] Matth. 19, 29.

Nein, die Vernunft läßt nicht zu, daß du es verschmähst!
Gibt es doch keinen Menschen, der, wenn er glücklich
sein könnte, lieber unglücklich ist; keinen gibt es, der,
wenn er die Freuden des höchsten Gutes haben könnte,
lieber die Pein des größten Übels erduldet; keinen gibt
es — und daher bist auch du nicht so! —, es müßte
denn sein, daß in dir ein geradezu unbegreifliches, dem
Menschengeschlecht ganz fremdes Wesen wohnte, so
daß du ganz allein dir selber nichts Gutes wünschest,
ganz allein das Glück fliehest, ganz allein an Qualen
dich erfreuest. Da dies aber sicher nicht der Fall ist,
was für ein Grund besteht also, daß du nicht wenigstens
beim Sterben, in den letzten Zügen, noch mit der letzten Besinnung auf deine Pflicht zum Opfern und mit
Einsatz all deiner Habe danach trachtest, daß du, wenn
du es bei Gott noch verdienen magst, reich und glücklich wirst; wenn du dies aber nicht erreichen kannst,
daß du dann wenigstens nicht ganz elend bist, nicht
brennen mußt, nicht gepeinigt, nicht in der äußersten
Finsternis hingemartert, nicht in unauslöschlichem Feuer
gebraten wirst! Was für ein Grund also, wie gesagt,
besteht, daß du nicht danach handelst? Was für ein
Grund besteht, daß du dir nicht die ewigen Güter er-
wirbst? Was für ein Grund besteht, daß du nicht das
ewige Unheil fürchtest? Ja, welcher Grund außer dem
einen, den ich schon genannt habe: entweder du glaubst
nicht daran, daß du von Gott gerichtet werden sollst,
oder du glaubst nicht daran, daß du überhaupt auf-
erstehen wirst. Denn, wenn du glauben würdest, wie
wäre es da möglich, daß du nicht das unfaßbare Unheil des künftigen Gerichtes fliehst und nicht den furchtbaren Qualen ewiger Strafe zu entrinnen suchst? Aber
du glaubst nicht, du glaubst wirklich nicht; und magst
du auch mit Worten immer das Gegenteil behaupten
und verkünden, du glaubst einfach nicht! Wohl brüsten
sich deine Worte und deine Bekenntnisse mit dem Glauben, aber — dein Leben und dein Sterben tun deinen

Unglauben kund! Ist es anders, so widerlege mich; ich
möchte widerlegt werden! Ich will dabei gar nicht, daß
du mir deine Gläubigkeit durch Taten aus deinem früheren
Leben beweisest; ich begnüge mich einzig und allein
mit dem Zeugnis deiner letzten Stunde. Sieh, schon
mußt du sterben! Du wirst das Haus deines Leibes
verlassen; du weißt nicht, wohin du gehen wirst, wohin
es dich führt, zu welchen Qualen, zu welchem Grauen
du entrückt werden sollst; und es bleibt dir im letzten
Augenblick nur eine einzige Zuflucht; nur eine einzige,
winzige Hoffnung ist dir gelassen, um dem ewigen Feuer
zu entrinnen: nämlich, daß du für dich hingebest, was
in deinem Vermögen steht; etwas anderes hast du ja
nicht mehr Gott darzubringen! Und du, deiner selbst
uneingedenk, deines ewigen Heils vergessend, machst
dir Gedanken über neue Testamentsbestimmungen, du
quälst dich ab um die Bereicherung eines Erben! Und
während du so handelst, behauptest du noch, an das
Gericht Gottes zu glauben, und sorgst nicht für dich,
nicht einmal im letzten Augenblick, obwohl du doch
gerichtet werden sollst! Und du sprichst davon, daß
du irgend etwas über das Heil deiner Seele glaubest,
du, für den niemand weniger Wert hat als deine Seele;
dem es fast nicht darauf ankommt, wem du nützest, wenn
du nur dir schadest? Und du sagst, du glaubest an einen
zukünftigen Richter, du, in dessen Augen niemand geringer
und verachteter ist als gerade dieser Richter?
Denn so sehr lehnst du ihn ab, so sehr verachtest du
ihn, daß du nicht einmal für dich selber sorgen willst,
nur um seine Gebote zu übertreten! Oder widerlege mich,
überzeuge mich, wenn ich lüge! Ruft dir doch im Sterben
gerade der Richter, der dich einst richten wird, zu, du
solltest bei der Zuteilung deines Guts und deines Vermögens
niemanden mehr lieben als dich selbst; du solltest
im Sterben mit deinem Reichtum niemand reichlicher
bedenken als dich selbst; du solltest niemand für
näherstehend, niemand für teurer halten als deine Seele!

So sagt der Erlöser: „Was nützt es dem Menschen, wenn er die ganze Welt gewinnt, an seiner Seele aber Schaden leidet? Oder was kann der Mensch für seine Seele zum Tausche geben?"[1] Das will heißen: Was nützt es dir, unseliger Mensch, wenn du die ganze Welt selbst besitzest oder deinen Anverwandten hinterlässest und dabei Schaden am Heil deiner Seele leidest? Denn ein Schaden der Seele nimmt alles mit sich fort; und ein Mensch, der sich selbst infolge des Verlustes oder des Verderbens seiner Seele verliert, wird überhaupt nichts mehr besitzen können. „Oder", heißt es, „was kann der Mensch für seine Seele zum Tausche geben?" Das will besagen: Schau, o Mensch, nicht auf dein Geld, nicht auf deinen Besitz; besinne dich nicht, wenigstens beim Sterben, für deine Ewigkeitshoffnung von deinem Hab und Gut soviel zu opfern, wie du nur kannst! Denn alles, was du für dich gibst, ist ja wenig; alles, was du für dich opferst, hat geringen Wert, weil deine Seele im Vergleich zu allem andern das Kostbarste ist. So zaudere denn nicht, für dich zu opfern, weil du alles in dir verlierst, wenn du dich verlierst; wenn du aber dich gewinnst, wirst du mit dir und in dir alles besitzen.

19. Es gibt keinen Grund für die Vernachlässigung dieses kostbarsten Gutes

Während dir also, du magst sein, wer du willst, dein Herr noch im Sterben solches zuruft, verschließest du dein Herz, verstopfest du dein Ohr; und wenn du mit leeren Redensarten deinen Glauben versicherst, hältst du Worte statt der Taten für hinreichend und meinst, du habest für deine Gläubigkeit eine genügend starke Stütze, wenn du Gott, den du mit Werk und Tat verachtest, mit verlogenen Worten zu ehren scheinst. „Mein Sohn", sagt die Hl. Schrift, „wenn du besitzest, erweise

[1] Matth. 16, 26 mit Änderungen gegenüber der Vulgata, besonders faciat statt patitur in der Vulgata.

dir Wohltaten und bringe Gott fromme Opfer dar!"[1] Und
an anderer Stelle sagt sie: „Hab Erbarmen mit deiner
Seele!"[2] Siehe, wie barmherzig unser Herr ist, der uns
selbst für uns um Erbarmen bittet: „Erbarme dich", sagt
er, „deiner Seele!" Das heißt: Hab auch du Mitleid mit
ihr, aus Mitleid zu der du mein Herz brechen siehst! Erbarme du dich endlich ihrer, deren ich mich schon immer erbarme! Erbarme dich deiner eigenen Seele, wenn
du siehst, wie ich mich der fremden erbarme! Und
warum, du ganz unglücklicher Mensch, stimmst du nicht
zu, wenn Gott so mit dir unterhandelt? Er bittet dich,
du sollest dich deiner erbarmen — und du willst nicht?
Er führt deine Sache vor dir — und er hat bei dir keinen
Erfolg? Und wie soll er — du magst, Unseliger, sein,
wer du willst —, wie soll er einmal bei seinem Gericht
auf dein Flehen hören, wenn du selbst ihn jetzt, da er
für dich bittet, nicht hören willst? Aber freilich, das
ist ja eine schwerwiegende Ursache, daß du Gott nicht
hören kannst: in deiner Krankheit stehen ja Verwandte
und Verschwägerte um dich herum, stehen reiche Fa-
milienmütter, stehen vornehme Männer, und dein Kran-
kenbett belagert eine Menge Leute in seidenen und gold-
durchwirkten Gewändern! O welch riesigen Gewinn wirft
es für die Ewigkeit ab, solchen Bettlern sein Eigentum
zu übergeben! Ja, das ist wahrlich ein gültiger, gerechter
Grund, daß du deiner Seele das raubest, was du solchen
Armen hinterlässest! Aber selbstverständlich: das Mitleid macht dich weich, und die Anhänglichkeit deiner
jammernden Verwandten überwältigt dich! Ein über-
zeugender Gedanke! Du siehst, wie Menschen, die in
Reichtum und glänzenden Verhältnissen leben, um dich
weinen, wie sie mit betrübten Mienen und in feierlichem
Kleid dir zur Trauer vorbereitete Gesichter zeigen, wie
sie mit ihrem erheuchelten Kummer sich ihr Erbe kaufen — wen sollte auch eine solche Liebe, wen sollte ein
solcher Schmerz nicht rühren? Oder wie solltest du

¹ Ekkli. 14, 11.   ² Ebd. 30, 24.

deiner selbst nicht vergessen, wenn du solches siehst? Du siehst ja die herausgepreßten Tränen, die geheuchelten Seufzer, die gemachte Angst, die nicht wünscht, daß du wieder genesest, sondern nur wartet, wann du stirbst. Du siehst die Gesichter, die alle auf dich gerichtet sind, als wollten sie die Langsamkeit deines Sterbens anklagen! Wehe dir Unglücklichem, dir Unseligem, dessen letzten Atemzug eine solche Schar von Verwandten herbeisehnt! Ich weiß übrigens und bin ganz sicher, daß die Gebete solcher Menschen bei Gott gar nichts vermögen! Ich fände es höchstens wunderbar, wenn du noch lebtest, da so viele deinen Tod wünschen. Und um dieser Menschen willen, um solcher Leute willen lässest du — seiest du, wer du willst! — lässest du deine Seele im Stich und sagst, du glaubtest an das Gericht Gottes, während du Gottes Gebote nur darum verachtest, um dein väterliches Gut solchen Menschen zu vererben? „Er teilt aus", sagt der Prophet von einem, der an Gott glaubt, „er teilt aus, er gibt den Armen, seine Gerechtigkeit währet in Ewigkeit."[1] Aber auch der Erlöser selbst sagt zu allen Reichen: „Verkaufet, was ihr besitzet und gebet Almosen!"[2] Und anderswo: „Verkaufe, was du besitzest und gib es den Armen!"[3] Sagt er etwa: Gib es den Verwandten, gib es den Verschwägerten? Nein, er sagt: den Armen, den Darbenden! Sagt er: einem reichen Vetter, irgendeinem hochmögenden Herrn? Nein: dem Hilflosen, dem Bedürftigen! Sagt er etwa: Wenn du dein Vermögen deinen reichen Anverwandten gibst, währet deine Gerechtigkeit in Ewigkeit? Oder wenn du ihren Reichtum noch durch deinen Reichtum vergrößerst, wirst du einen Schatz im Himmel besitzen? „Wehe denen", sagt der Prophet, „die das Süße bitter nennen und das Bittere süß!"[4] Der Herr verbietet sogar, daß du solche Leute auch nur lobst — und du scheust dich nicht, sie zu bereichern? Er will nicht, daß man ihnen preisende Worte

[1] Ps. 111, 9.   [2] Luk. 12, 33.   [3] Matth. 19, 21.   [4] Is. 5, 20.

gönne — und du spendest ihnen sogar dein Gold? Er
untersagt, daß man ihren Lebenswandel auch nur mit
falschen Redensarten ehre — und du türmst ihnen die
reichsten Schätze auf?

20. Menschenfurcht soll niemanden von der Sorge um das ewige Heil abhalten

Aber du fürchtest dich natürlich vor den Gesichtern
deiner herumsitzenden Verwandten und hast Angst, die
zu beleidigen, die vor dir dastehen und dein Bett be-
lagern. „Fürchte sie nicht", spricht der Herr durch
den Propheten, „und erschrick nicht vor ihrem An-
gesicht, denn ein Haus der Widerspenstigen sind sie!"[1]
So sei auch du furchtlos und standhaft! Erzittere nicht
vor ihren Mienen, beuge dich nicht ihren Wünschen!
Verachte sie, die nur dein Erbe begehren, die schon dein
Vermögen unter sich teilen, die nicht dich, sondern nur
deinen Besitz lieben, ja, die dich aus Begierde nach
deiner Habe verfluchen! Denn während sie voll Un-
geduld nach dem Deinigen dürsten, hassen sie dich, betrachten dein Weilen auf der Welt als Neid und Feindschaft und halten es nur für einen Riegel, ein Hindernis gegen ihre Begehrlichkeit, daß du noch lebst! Verachte also solche Leute und tue gar nichts! Laß dich
nicht rühren von ihren Schmeichelworten: sie sind Gift
für dich! Höre nicht auf ihr Schöntun: es sind Dolche,
die dich töten, verderblicher als die eisernen Klingen
der Feinde! Denn Feindesschwerter können alle Menschen sehen, solche aber sehen Unvorsichtige nicht!
Jenen kann man entrinnen, weil sie ganz offen wüten;
diese aber töten, weil sie in der Verborgenheit lauern;
und sie sind um so gefährlicher und unheilvoller durch
die sonderbare Art, w i e sie schaden: von jenen eisernen Schwertern möchte sich kein einziger auch nur ver-

[1] Ezech. 2, 6. Vulgata: Tu ergo, fili hominis, ne timeas eos,
neque sermones eorum metuas... et vultus eorum ne formi-
des quia domus exasperans est.

wunden lassen, von solchen lassen sich viele sogar töten!
Welch unerhörte, unfaßbare Lockung zu einem unheil-
vollen Tode! Wer von jenen Schwertern getroffen wird,
den quälen gleichermaßen Furcht und Schmerz: wer
aber von diesen getötet wird, der freut sich! Fliehe also
dieses Übel! Fliehe die Liebedienerei, die dir auflauert!
Fliehe die Aufmerksamkeiten, die dir schaden! Fliehe
die Gunsthascher, die dich betrügen! Das sind Liebes-
dienste, die dich morden; das sind Dinge, die dich in
den Tod zerren! Fliehe vor den Schmeicheleien solcher
Leute! Fliehe vor ihrem Eifer: es sind deine Henker
und Peiniger, die sich zwar jetzt um dich bemühen, die
dich aber in der Zukunft töten und dich gewissermaßen
mit gefesselten Händen und wie eine unter sich ver-
schworene Verbrecherbande in das ewige Feuer der Hölle
gewaltsam hinabzustürzen versuchen. Daher fürchte dich
nicht und erschrick nicht vor ihnen! Richte deinen Mut
auf und rufe die gewaltige Macht zu Hilfe! Denn wenn
jene so heftig nach deinem Tode trachten, warum solltest du nicht mit noch größerem Mute um dein Leben
ringen? Daher sei stark, sei standhaft und sorge für
dich! Ganz ungläubig, ganz töricht ist derjenige, der
lieber anderen sein Elend als sich selbst seine Seligkeit
verschafft und der sich selbst dem ewigen Feuer aus-
liefert, um anderen das Schwelgen in zeitlicher Lust zu
gönnen!

VIERTES BUCH

1. Die Weisheit des Christen liegt darin, im Leben und im Sterben Gott zu lieben

Wohl weiß ich, o Kirche, du meine Herrin, du Spenderin seliger Hoffnung, daß unsere Ausführungen in den vergangenen Büchern einigen von deinen Kindern, die Christus zu wenig lieben, mißfallen müssen. Aber wir schätzen ihre Stimmungen nicht hoch ein; ist es doch gar nicht verwunderlich, daß Worte, die von Gott sprechen, solchen nicht gefallen, denen vielleicht Gott selbst nicht gefällt; und ist es doch auch nicht zu erwarten, daß solche Menschen, die selbst ihr Heil und ihre eigene Seele nicht lieben, eine Rede lieben würden, die ihnen ihr Heil und ihre Seele empfiehlt! So muß uns, wie anderswo, auch hier die Zustimmung und das Urteil der Frommen genügen; wenn diese das gleiche fühlen wie wir, dann sind wir wahrlich sicher, daß auch Gott selbst mit uns fühlt; denn da in seinen Heiligen der Geist Gottes weilet, steht ohne Zweifel Gott auf der Seite derjenigen, von denen der Geist Gottes nicht weicht. Die Gedanken schlechter Menschen, der Heiden wie der Weltdiener, darf man also gering oder für gar nichts wert achten; denn „wenn ich", sagt der Apostel, „den Menschen gefallen wollte, wäre ich kein Knecht Christi".[1]

* Das aber ist härter und beschwerlicher, daß, wie ich glaube, manche deiner Kinder unter dem Namen des
* religiösen Lebens mit diesem religiösen Leben in Zwiespalt sind und mehr ihrem Gewand als ihrer Gesinnung nach die Welt verlassen haben; wenn ich mich nicht

[1] Gal. 1, 10. Vulgata etwas anders.

täusche, drückt sich ihre Meinung dahin aus, daß jeder
Christenmensch schlechthin beim Sterben seine Verwandtschaft mehr berücksichtigen müsse als Christus.
Und weil dies eine ganz gottlose, fluchwürdige Meinung
wäre, versuchen sie, wie ich glaube, dieselbe durch einen *
Zusatz gleichsam in einen verdunkelnden Schatten zu
hüllen, indem sie sagen, alle Gottgläubigen müßten nur
in gesundem und kräftigem Zustand sich Christus verpflichtet fühlen; aber dann, wenn sie aus der Welt wandern, müßten sie mehr an ihre leibliche Verwandtschaft
als an den Dienst Gottes denken. Als ob ein Christ ein
anderer sein müßte, wenn er bei vollen Kräften ist, und
ein anderer, wenn er diese Welt verläßt! Als ob er sich
Christus gegenüber anders erweisen müßte in der Voll-
kraft, anders im Tode, anders im früheren, anders im
späteren Leben! Wenn dem so ist, dann müßte also ein
Mensch als Jüngling von Christus etwas anderes halten denn als Greis, und die Menschen müßten gerade
so oft ihren Glauben wechseln wie ihr Alter. Wenn
nämlich einer zum Dienste Gottes sich anders stellt als
kräftiger Mensch, anders als Schwacher, anders als Ge-
sunder, anders als Kranker, so wird in den Augen des
Menschen Gott in dem Grade veränderbar, wie der Zustand des menschlichen Leibes ein ungleicher sein wird;
und so oft das Befinden des Menschen sich ins Gegenteil verkehrt, ebenso oft wird auch sein religiöses Denken ein anderes sein; als ob diejenigen, die im vollen
Leben Christus gehören müssen, beim Sterben nicht mehr
Christo gehören müßten! Und wo bleibt da jenes Wort:
„Wer ausharrt bis ans Ende, der wird gerettet werden",[1]
oder jene andere Prophezeiung des göttlichen Wortes in
den Sprüchen: „Die Weisheit wird beim Sterben ver-
kündigt"[2]? Dadurch soll doch gezeigt werden: Wenn

---

[1] Matth. 10, 22.

[2] Sprichw. 1, 20. Nach Halm ist dieses Bibelzitat eine
falsche Interpretation der Worte: σοφία ἐν ἐξόδοις ὑμνεῖται (Die
Vulgata hat: sapientia foris praedicat.) Ullrich a. a. O. S. 9

die Weisheit auch in jedem Lebensalter etwas Heilsames ist, so müssen doch alle vornehmlich bei ihrem
Sterben weise sein, weil alle Klugheit des verflossenen
Lebens keinerlei Verdienst haben wird, wenn sie nicht
mit einem guten Ende abschließt; denn die Weisheit
kündet sich beim Sterben. Warum sagt die Schrift nicht
„in der Jugend", nicht „im mannbaren Alter", nicht „in
einer gefestigten Lebenslage", nicht „im Zustand des
Glücks"? Eben weil in all diesen Zeiten jegliches Lob
auf unsicherem Boden stünde. Solange nämlich ein
Mensch dem Wechsel unterworfen ist, kann er nicht
mit voller Sicherheit gelobt werden; und so „kündet
sich", wie es heißt, „die Weisheit erst beim Sterben".
⁎ Was ist nun, so frage ich, die Weisheit eines Christen?
Was anderes als die Ehrfurcht und Liebe zu Christus?
„Der Anfang der Weisheit", heißt es, „ist die Furcht
des Herrn;"[1] und anderswo: „Vollkommene Liebe ver-
drängt die Furcht."[2] Wir sahen also: Der Anfang der
Weisheit liegt in der Furcht, die Vollendung in der
Liebe Christi. Wenn daher die Weisheit eines Christen
Ehrfurcht und Liebe zum Herrn ist, so sind wir erst
dann wirklich weise, wenn wir Gott immer und über
alles lieben, und dies zwar zu jeder Zeit, aber ganz besonders bei unserem Sterben, denn: die Weisheit kündet
sich beim Sterben.

2. Wie der Mensch über Gott urteilt, so wird er von Gott gerichtet werden

Wenn sich also die Weisheit beim Sterben vor allem
darin kundgibt, ob Gott über alles geliebt wird, welcher Wahnsinn ist es dann, wenn einer sagt, Christus

läßt Salvians Auffassung auf der „afrikanischen" Bibelüber-
setzung beruhen und führt zum Beweise Stellen aus Tertullian, Faustus, Vigilius von Thapsus und der (nach Roensch
auch in Afrika entstandenen) Irenäus-Interpretation an.
  [1] Ps. 110, 10.
  [2] 1 Joh. 4, 18. Vulgata: caritas statt dilectio bei Salvian.

müsse zwar von den Gesunden der leiblichen Verwandtschaft vorgezogen werden, nicht aber von den Sterbenden? Warum denn sollen ihn die Gesunden vorziehen, wenn ihn die Sterbenden nicht vorziehen müssen? Oder wenn es religiöses Handeln bedeutet, daß
einer im Tode seine Verwandten und Vettern Christus vorzieht, warum soll es nicht religiös sein, wenn
er dies schon vorher tut? Oder wenn da irgendeine
Stunde am Lebensende ist, in der einer mehr die anderen
lieben muß als sich selbst oder Gott, warum soll er sie
dann nicht auch im voraufgegangenen Leben mehr lieben? So löst sich alles auf, so wird alles hinfällig, so
geht alles zugrunde; so kommt es, daß ein Mensch niemanden geringer einschätzt als sich selber und niemanden niedriger als Gott. Denn wenn es einen Zeitpunkt
gibt, zu dem Gott mit Recht von jemandem den Verwandten und Befreundeten nachgestellt werden könnte,
dann gibt es keinen Zeitpunkt, zu dem er mit Recht vorgezogen werden könnte; wenn aber — und das ist die
Wahrheit — es überhaupt keinen Augenblick gibt, in
dem er nicht vorgezogen werden muß, dann gibt es auch
nie und nimmer einen Augenblick, in dem er mit Recht
hintangesetzt werden könnte. Ja, keinen einzigen Augenblick, und daher auch nicht in den letzten Zügen! Denn
auch der Gerechte, sagt der Prophet,[1] wird zugrunde
gehen an dem Tage, da er in Sünde fällt. Wenn daher
jede Sünde eines Sünders mit dem Untergang bestraft
wird und das Leben der Menschen schon durch solche
Verirrungen in Gefahr kommt, durch die die menschliche Unschuld auf gewöhnliche, ganz allgemeine Art
befleckt wird, was, glauben wir, wird erst geschehen,
wenn man sich gegen Gott selbst in fluchwürdiger Untreue versündigt? „Wenn nämlich", sagt der Apostel,
„jeglicher Ungehorsam gerechten Vergeltungslohn empfängt, wie sollen wir entrinnen, wenn wir eines solchen
Heiles nicht achten?"[2] Niemand aber mißachtet das

[1] Ezech. 3, 20.   [2] Hebr. 2, 2 f.; accepit Vulgata.

wahre Heil mehr als einer, der irgendeiner Sache den
Vorzug gibt vor Gott. Da nämlich unser Heil ein Geschenk der Barmherzigkeit Gottes ist, wie kann der mit
der Erreichung des Heiles rechnen, der Gott selbst verachtet — Gott, auf dessen Barmherzigkeit unser Heil
beruht! Oder: da Gott der Richter ist über die Lebendigen und die Toten, wie kann der Hoffnung auf Gottes
Urteil haben, der nach seinem eigenen Urteil beim Sterben auf Gott verzichtet — auf Gott, vor dessen Richterstuhl er im nächsten Augenblick treten muß? Deshalb
sagt die Hl. Schrift: „Wie einer richtet, so wird auch
über ihn gerichtet werden;"[1] d. h. wie einer über Gott
urteilt, so wird auch über ihn von Gott geurteilt werden; und er wird es nicht als Unrecht betrachten können, wenn ihn der Herr in der Ewigkeit allem hintansetzen wird, da er doch in diesem Leben selber Gott
hinter alles andere setzte; und er wird sich nicht beklagen dürfen, wenn ihn Gott für verdammenswerter
hält als alles andere, da er ja selber Gott für minder-
wertiger hält als alles andere.

3. Gewisse Ausreden sind nicht stichhaltig

Aber da sagt einer, er handle so ja nicht in der Absicht, um Gott zu verachten oder ihn herabzusetzen,
sondern um diejenigen zu lieben oder zu ehren, die er
als Erben einsetzt. Nun, wir wollen das zugeben; diese
Entschuldigung steht ja schließlich allen anderen Ver-
brechern zu Gebote, auch den schwersten und schuld-
belastetsten. Kann doch auch ein Buhler sagen, er treibe
Unzucht nicht deswegen, um Gott zu mißachten, weil
er ja von der Hitze und Schwachheit des Fleisches überwältigt werde. Auch die Mörder können behaupten, daß
sie nicht aus Gottesverachtung heraus menschliches Blut
vergießen; sie begingen ihre Verbrechen nur aus Haß
oder aus Leidenschaft. Aber was nützt den Bösewich-

[1] Matth. 7, 2.

tern diese Ausrede, da doch wahrhaftig nichts daran
liegt, aus welcher Ursache einer sündigt, wo doch jede ✻
Sünde ein Unrecht gegen die Gottheit ist? Aber wie
gesagt: geben wir ruhig zu, es geschehe nicht aus Verachtung gegen Gott, wenn einer seine Güter lieber einem
anderen überantwortet als Gott, sondern er sehe sich
eben aus Ehrerbietung gegen seinen Erben dazu gezwungen oder wenigstens von Liebe getrieben. Aber
was können wir dagegen tun, wenn gerade dadurch die
Vernachlässigung und Verachtung Gottes erst recht bewiesen wird? Wenn du nämlich — gleichgültig, wer du
bist — angibst, du möchtest dadurch, daß du dein Eigentum deinem Erben oder irgendwem hinterlässest, sie
ehren und ihnen deine Liebe erweisen, so verrätst du
damit eben nur, daß du Gott, dem du nichts hinterlässest,
nicht ehrst und nicht liebst. Und so steht alles, was du
f ü r dich anführtest, g e g e n dich, und die Liebe und
Ehrerbietung gegen die anderen erscheint als Verachtung und Beleidigung Gottes! Denn wenn du anderen
etwas hinterlässest, weil du sie ehrst, so ehrst du offenbar Gott nicht, da du ihm nichts hinterlässest; wenn du
anderen deshalb viel hinterlässest, weil du sie liebst, so
hinterlässest du folgerichtig Gott deshalb nichts, weil
du ihn nicht liebst. Siehe, wenn du stirbst und dein
Testament machst, so stehen vor dir nebeneinander der
Mensch und Gott. Die Sache liegt offen und klar: wen
du von beiden wählst, dem hast du den Vorzug gegeben.
Wenn die Ehre auf einen einzigen kommt, dann ist die
Folge, daß auf den anderen die Mißachtung kommt.
Wenn der Mensch, der den Vorzug erhält, sich deiner
Liebe freuen kann, dann muß es Gott, der übergangen
wird, schmerzen, daß er von dir nicht geliebt wird. Aber
du glaubst natürlich, Gott bedürfe der Freigebigkeit des
Menschen nicht; also was braucht ihm da, fragst du,
der Mensch etwas zu schenken, da er doch selbst allen
alles gegeben hat? Ob der Herr unserer Freigebigkeit
bedarf oder nicht, oder warum er ihrer bedarf und nicht

bedarf — das werden wir noch sehen. Vorderhand ist
er — du wagst ja selbst nicht zu leugnen, daß er allen
alles gibt — ist er allein schon deshalb ohne Zweifel
unserer Gebefreudigkeit in höherem Grade würdig, weil
er selbst uns vorher beschenkt hat; wir versuchen ihm
daher um so eifriger mit unserem Dienst gerecht zu
werden, je weniger wir seinen Wohltaten nahekommen
können. Verpflichtet doch gewissermaßen die menschliche Natur und die allgemeine Gewohnheit alle durch
ein ausnahmsloses Gesetz, daß wir denen größeren Dank
schulden, von deren freigebiger Hand wir etwas empfangen; ein erhaltenes Geschenk drängt uns zur Rück-
erstattung des Gegebenen. Denn vor dem Genuß und
vor der Spende einer fremden Freigebigkeit ist man
ganz frei, unbeschwert von der Schuldenlast einer Wohltat. Alle aber werden durch ihr eigenes Gewissen zu
einer Vergeltung, einem Ersatz hingezwungen, wenn sie
erst einmal Schuldner geworden sind. So stehen wir
denn bei Gott in um so größerer Schuld, weil wir alles
von ihm empfangen haben; und wir können seine Wohltaten um so weniger vergelten, weil wir auch dann, wenn
wir unsere Schuld begleichen möchten, doch nur mit
dem Seinigen zurückzahlen können. Es hat also niemand einen Grund, auf seine Freigebigkeit sehr stolz
zu sein. Wie alles, was einer vom Herrn empfängt, nicht
sein ist, so ist auch alles nicht sein, was er zurückgibt.
Und daher gebührt die Strafe für Veruntreuung dem-
jenigen, der Gott versagt, was ihm von Gott übergeben
ward; der aber kann es sich nicht als Wohltätigkeit an-
rechnen, der nur Empfangenes heimgibt.

4. Christus ist in den Armen arm und bedürftig und
   braucht insofern das Vermögen der Besitzenden

Aber Gott, sagst du, bedarf ja keiner Vergeltung!
Nichts weniger, als daß er ihrer nicht bedürfte! Denn
er bedarf ihrer nicht auf Grund seiner Macht, sondern
auf Grund seines Gebots; bedarf ihrer nicht gemäß sei-

ner Hoheit, sondern gemäß seinem Gesetz; er bedarf
ihrer zwar nicht in sich selbst, sondern in vielen anderen; er sucht die Wohltätigkeit nicht an sich, son- *
dern an den Seinen, und daher bedarf er ihrer nicht
nach seiner Allmacht, sondern nach seiner Barmherzigkeit; in seiner Göttlichkeit bedarf er nicht für sich
selbst, sondern in seiner Gnade bedarf er für uns!
Denn wie spricht Gott zu den mildtätigen und freigebigen Spendern? „Kommet, ihr Gesegneten meines *
Vaters! Nehmet das Reich in Besitz, das euch von An-
beginn der Welt an bereitet ist, denn ich hungerte, und
ihr gabt mir zu essen; ich dürstete, und ihr gabt mir
zu trinken."¹ Und anderes in dieser Art. Und damit
die Sache, von der wir reden, nicht als zu geringfügig
erscheine, fügte er auch noch den Gegensatz hinzu, indem er zu den Geizigen und Ungetreuen sagt: „Weichet,
ihr Verfluchten, in das ewige Feuer, das mein Vater
dem Teufel und seinen Engeln bereitet hat! Denn ich
habe gehungert, und ihr gabt mir nichts zu essen; ich
habe gedürstet, und ihr gabt mir nichts zu trinken."²
Wo sind nun diejenigen, die behaupten, unser Herr
Jesus Christus bedürfe nicht unseres Dienstes und unserer Gaben? Gleichzeitig sagte er ja, daß er hungere *
und dürste und friere. Es soll mir einer der Gegner erwidern, ob er nichts bedürfe, wenn er seinen Hunger
klagt; ob er nichts bedürfe, wenn er seinen Durst bezeugt. Ich aber sage noch mehr: Christus bedarf nicht
bloß soviel wie die anderen, nein, er bedarf sogar viel
mehr als die anderen! Bei der ganzen großen Zahl der
Armen gibt es doch nicht eine einzige allgemeine Ar- *
mut. Den einen fehlt es zwar an Kleidung, aber doch
nicht an Lebensmitteln; viele wieder sind obdachlos,
brauchen aber doch keine Kleider; viele haben zwar
kein Heim, aber doch ein Vermögen; kurz, manchen mag
vieles fehlen, es fehlt ihnen aber doch nicht alles. Chri-

¹ Matth. 25, 34 f.; Vulgata etwas anders.
² Matth. 25, 41 f.; Vulgata etwas anders.

stus allein, er ganz allein, empfindet a l l e Mängel, an
denen das gesamte Menschengeschlecht leidet. Keiner
seiner Diener ist herausgestoßen, keiner ist von Kälte
und Blöße gepeinigt, mit dem Christus nicht fröre; er
allein hungert mit den Hungernden und dürstet mit den
Durstigen. Und so bedarf er — wenn seine Gnade in
Betracht gezogen wird, mehr als die anderen; denn jeder
Bedürftige bedarf nur für sich und in sich, Christus aber
ist es einzig und allein, der die ganze ungeheure Not
der Armut tragen muß! Und wenn dem so ist, was sagst
du, o Mensch, der du vorgibst, ein Christ zu sein? Willst
du deine Habe, wenn du siehst, wie Christus ihrer bedarf, willst du sie irgendwem hinterlassen, der sie nicht
braucht? Christus ist arm, und du häufest noch die
Schätze der Reichen? Christus hungert, und du verschaffst denen, die schon Überfluß haben, noch ein
üppiges Leben? Christus klagt, daß ihm sogar Wasser
fehle — und du füllst die Keller der Trunkenen noch
mit Wein? Christus erliegt unter dem Mangel an allem
— und du sammelst noch Vorräte für die Verschwender? Christus verspricht dir für deine Gaben ewigen
Lohn — und du schenkst alles solchen, die nichts leisten werden? Christus stellt dir für deine guten Taten
ewige Güter und für deine Missetaten ewiges Unglück
vor Augen — und du lässest dich weder durch himmlische Güter umstimmen noch durch ewige Qualen be-
wegen? Und dabei sagst du, du glaubst an Gott — und
sehnst dich nicht nach seinem Lohn, noch zitterst du
vor seinem Zorn?

5. Heiligmäßiges Leben ohne Besitzverzicht ist Un-glaube gegen Gott

Nein, du glaubst nicht — wir sagten es schon im vori-
gen Buche — du glaubst nicht, magst du auch die Religion durch dein Gewand vortäuschen, magst du auch
deinen Glauben durch den Bußgürtel beweisen, magst du
auch deine Heiligkeit durch die Kutte heucheln! Und so

sage ich ebenso von Männern wie von Frauen dieser Art:
sie glauben nicht! Mag eine noch so eifrig das Gewand
der Heiligkeit anziehen und den Schild der Gottgeweihtheit vor sich hertragen, wenn sie mit ihrem Vermögen
mehr für andere sorgt als für sich — dann glaubt sie
einfach nicht. Denn niemand ist gläubig, der möchte, daß
seine Habe eher anderen nützt als ihm selbst; niemand
ist da gläubig, der damit zufrieden ist, anderen das
Glück mit seinem Elend zu erkaufen; niemand ist gläubig, der ewige Armut auf sich zu nehmen begehrt, um
anderen ein zeitliches Wohlleben zu verschaffen. Wer
also mit seinem Erbe mehr für andere als für sich selber
sorgt, der glaubt nicht, daß ihm das, was er Gott gibt,
werde überhaupt nützen können. Es soll mir doch einer
von diesen sagen, warum er eigentlich sein Vermögen
anderen hinterläßt! Nicht etwa deswegen, weil er als
sicher annimmt, daß es dem nützen werde, dem er es
hinterläßt? Ohne Zweifel aus diesem Grunde! Wenn du
also, wer du auch seiest, das, was du einem hinterlässest,
deshalb hinterlässest, weil du sicher bist, daß es dem-
jenigen, dem du es hinterlässest, nützen wird, — so
würdest du ohne allen Zweifel in erster Linie alles dir
zuwenden, wenn du glaubtest, daß alles, was du in frommen Geschenken hingibst, dir nützen würde; denn um
wie viel mehr du dich liebest als jene, denen du etwas
hinterlässest, um so viel eher würdest du es dir hinterlassen, wenn du auch nur die leiseste Vermutung hättest,
daß es dir nützen könnte. Du hassest dich ja doch nicht
selbst, so daß du dir selbst nicht nützen wolltest; aber
du glaubst nicht, daß dir das Nutzen bringen wird, was
du den Armen hinterlässest. Daher wirst du so emp-   *
fangen, wie du glaubst. Du schätzest den Erlöser ganz
gering ein — und er dich als nichts; du setzest Christus
anderen hintan — Christus dich allen anderen; dir ist
der Herr im Vergleich auch mit verworfenen Menschen
nichts wert — und du wirst dereinst beim Gericht unter
den letzten der Verworfenen stehen!

6. Auch die Askese frommt zu nichts, wenn
ihre Früchte den Unrechten zugute kommen

Aber du schmeichelst dir vielleicht, wie schon erwähnt,
mit irgendeinem äußeren Anschein eines heiligmäßigen
Standes. Du bist aber noch tiefer in der Schuld, weil du
durch solche aufgezeigte Heiligkeit Größeres versprichst;
daher wirst du auch schwerere Strafe erdulden, weil du
dein Gelöbnis weniger hältst. Ja, Großes versprichst du
dem Scheine nach, nichts leistest du deinen Taten nach;
du machst dich des Verbrechens der Fälschung schuldig,
und Gott ist es, den du mit all dem belügst. Nicht ohne
Grund bezeugt die Hl. Schrift, daß das Gericht beim
Gotteshaus seinen Anfang nehme; „Das Gericht", sagt
sie, „kommt vom Hause des Herrn."[1] Auch an anderer
Stelle heißt es: „Bei meinem Heiligtum machet den
Anfang."[2] Aber wir wollen zum früher Gesagten zurück-
kehren! „Fort mit euch", sagt Gott zu den Geizigen und
den Ungläubigen, „fort in das ewige Feuer, das mein Vater dem Teufel und seinen Engeln bereitet hat!"[3] Aber du
glaubst vielleicht, du müßtest von diesem Unheil durch
einige leibliche Vorzüge befreit werden. Du rühmst dich
etwa, daß du die Reinheit geliebt habest. Aber denk
daran, daß der Erlöser auch jene, die er im Evangelium
den ewigen Strafen überantwortet hat, nicht der Schamlosigkeit bezichtigte! Du sagst, du habest an der Nüchternheit dein Gefallen gehabt? Ja, aber auch jene, von
denen die Schrift spricht, werden nicht ob der Trunken-
heit bestraft! Du sagst, du habest gefastet? Auch jene
haben nicht die Schmausereien zu Schuldigen gemacht.
Doch wahrlich! Das ist ein gewichtiger Grund, daß du
um deiner Enthaltsamkeit und deines Fastens willen dir
selber wohlgefällst! Du hast also zu dem Zweck gefastet,
zu dem Zweck kärglich und ärmlich gelebt, um nach
deinem Tode — jetzt nicht die Armen zu speisen, o nein!,

[1] 1 Petr. 4, 17.
[2] Ezech. 9, 6. (Vulgata: sanctuario statt sanctis bei Salvian.)
[3] Matth. 25, 41.

um — den Besitz irgendeines beliebigen Erben noch durch neue Reichtümer zu vergrößern! Wirklich, du erntest großartige Früchte deiner Enthaltsamkeit! Du hast ja weniger Brot gegessen, auf daß ein anderer mehr Gold besitze! Infolge deiner einfachen Nahrung hat dein Leib abgenommen, auf daß der Geldschrank irgendeines Menschen, vielleicht sogar eines lasterhaften, zunehme. Wenn du also einmal zum Gerichte Gottes kommst, wirst du mit Recht dein Fasten in Rechnung stellen und sagen können: Sieh, Herr, ich habe gefastet und bin enthaltsam gewesen und habe mir lange Zeit jegliche Frucht der Freude versagt. Die Tatsachen beweisen das, denn sieh, nun können meine Erben von meinem Gut im Überfluß leben, jetzt können sie in uferlosem Reichtum schwelgen! Und damit du doch auch etwas aus dem Evangelium für dich in Anspruch nehmest, kannst du von deinen Erben sagen, was der Erlöser von jenem Reichen sagte: Sie kleiden sich in Purpur und feines Linnen, sie halten glänzende Mähler,[1] sie liegen auf den von mir vergrabenen Talenten, sie sitzen auf den zusammengescharrten Haufen Goldes und Silbers; auch die Mittel für all ihre Lustbarkeiten habe ich bereitet; und sie blähen sich auf in all den Freuden, die ich ihnen zurückließ. Ich habe mich lange enthalten, auf daß sich jene betrinken könnten. Meine Mäßigkeit ist jetzt deren Völlerei. Das Pflaster schwimmt im Wein, der von den übervollen Tafeln niederströmt; sie gießen den edlen Falerner[2] in den Schmutz; ihre Tische, ihre schön getriebenen Krüge

---

[1] Luk. 16, 19.
[2] Der Falerner ist, namentlich in der späteren Literatur, der Vertreter des guten Weins, ja oft des Weins überhaupt; vgl. Th. Michels O. S. B. Philol. Wochenschrift 47 (1927), Sp. 427 f.; C. Weyman, Beiträge zur Geschichte der christlich-lateinischen Poesie (München 1926) S. 242 und A. Mayer, B. Bl. f. d. Gymn. 63 (1927) S. 383; aus dem Mittelalter vgl. den Reim: Qui aquam ponit in Falerno, Sit sepultus in inferno (Ph. Schuyler Allen, Medieval Lat. Lyrics. Chicago 1931. S. 319).

triefen beständig vom kostbaren Naß; nie werden sie
trocken. Sie prassen auf den Teppichen, die ich ihnen
verschafft; sie treiben Unzucht in der Seide, die ich ihnen
hinterlassen. Und wenn du dies alles für dich vorgebracht
hast — wie solltest du da von Christus keinen ewigen
Lohn verdienen können, von ihm, dem du in solchen
Heiligen eine solche Fülle der Freuden bereitet hast?

7. Den Armen schenken heißt Christus zum Erben machen – an Reiche vererben ist Unglaube gegen Christus

Wie viel besser — du magst sein, wer du willst —,
wie viel besser und heilsamer hättest du in Armut und
Dürftigkeit gelebt als im Wohlstand! Denn die Armut
hätte dich zu Gott hinführen können, der Reichtum hat
* dich zum Schuldigen gemacht. Es wäre also richtiger
gewesen, wenn du infolge deiner Not gerettet wärest,
als wenn du infolge deines Reichtums dich und andere
belastet hättest — dich, indem du ihn auf schlechte Art
vererbst, die anderen, indem sie dein Erbe selbst durch
ihre unmenschliche Genußsucht auf schlechte Art besitzen und so auch nachher anderen wieder auf schlechte
Art hinterlassen. Wenn du also einen Rat annehmen
* willst, wenn du das ewige Leben haben und gute Tage
* sehen willst, dann hinterlasse dein Vermögen den frommen Armen, den Lahmen, den Blinden, den Kranken!
Dein Hab und Gut soll die Nahrung der Elenden sein,
dein Reichtum die Lebensmöglichkeit der Armen, so
daß ihre Labung dein Lohn werde und ihre Erquickung
dich erquicke! Wenn nämlich jene von dem Deinigen
essen werden, wirst du satt werden; wenn jene von dem
Deinigen trinken werden, wirst du die heiße Glut deines
Durstes löschen; ihr Gewand wird dich bekleiden, und
ihre Freude wird dich erfreuen. Halte es also nicht für
minderwertig und verächtlich, wenn du dein Vermögen
den Unglücklichen und Dürftigen hinterlässest! Chri-

stus ist es, den du in ihnen zu deinem Erben machst!
Was will aber der Name Christi hier besagen? Ja, Christus machst du zwar zum Erben, aber du selbst wirst
die Vorteile der Erbschaft genießen. Alles, was du Christus hinterlässest, alles wirst du durch Christus besitzen.
Aber — so vermute ich — du hältst ja solche Sätze
für unsinnig und verachtest sie wie Träumereien und
Hirngespinste: du glaubst ja nicht, daß Christus die
Wahrheit gesprochen hat. Die Sache beweist, daß du
ihm gar nicht glaubst; denn wenn du seine Gebote nicht
einmal auf dem Sterbebette erfüllst, nimmst du entweder an, daß sie gar nicht vorhanden sind, oder ver-
urteilst sie als falsch. Alle wahrhaft Frommen müssen   *
es beklagen und beweinen, daß du und deinesgleichen
niemandem, aber auch niemandem weniger glaubet als
Christus. Wenn dir irgendein Schankwirt etwas versprechen würde, du würdest ihm auf sein Versprechen
hin dein Vertrauen nicht versagen; und wenn ein Krä-
mer, ein Gewürzhändler dich auffordert, ihm etwas zu
leihen, du würdest ihm nicht mißtrauen, daß er dir
das Gegebene zurückgeben wird; und schließlich vertraut man bisweilen Lügnern und Meineidigen etwas
an, wenn sie Sicherheit geben oder einen Gutständer
beibringen. Nun hat aber Christus dir die festeste Bürgschaft und die besten Gutständer gegeben, die Bürgschaft in seinem Evangelium, als Gutständer seine
Apostel — und wenn dir das noch zu wenig ist —,
seine Patriarchen, Propheten und Märtyrer, ja die ganze
große Reihe der heiligen Schriften: und du glaubst ihm
nicht, du schenkst ihm kein Vertrauen? Ich frage dich:
Könntest du unter den Menschen einen solchen Verschwender, eine so elende Kreatur finden, daß du ihm bei
so vielen Gutständern das Vertrauen abschlagen müßtest? Daher gibst du deine Habe dem Reichen und
verweigerst sie den Armen, gibst sie den Prassern und
verweigerst sie den Frommen, gibst sie vielleicht jedem
Verworfenen und verweigerst sie Christus. Wie du also

geurteilt hast, so wirst du beurteilt werden; wie du gewählt hast, wirst du erhalten; du wirst nicht teilhaben an Christus, den du verachtet hast; du wirst teilhaben an denen, denen du den Vorzug gabst.

8. Die Barmherzigkeit ist wichtiger als andere Forderungen – Habsucht schließt jede Hoffnung auf Heil aus

Nun sagt aber vielleicht einer aus der Schar der Ungläubigen, die Sache sei es doch wirklich nicht wert, daß sie Gott errege oder die Menschen in eine ewige Gefahr bringe. Ich weiß zwar, daß alle Schuldigen stets ihre Schuld als verzeihbar hinstellen möchten. Auch der Diebstahl ist für die Diebe nur ein kleines Vergehen, und die Trunksucht ist in den Augen der Trinker etwas ganz Unschädliches, und bei den Schamlosen ist die Unzucht kein Verbrechen; kurz, es gibt keine Schuld, die so groß wäre, daß sie nicht in der Meinung dessen verringert würde, durch den sie begangen ward. Aber wenn einer von den Sündern wissen will, wie schwer von Gott große Vergehen angerechnet werden, dann soll er zu erfahren suchen, wie die Asketen an sich selbst auch schon leichte Sünden strafen; sie sind sich ja auf Grund der göttlichen Lehren des künftigen Gerichtes bewußt, sie erkennen aus den Worten ihres Herrn auch seine Urteile und daher leben sie ganz im Werk Gottes, ganz in der Reue, ganz unter dem Kreuze. Selig sie, die mit allen anderen Mitleid haben, sich aber nie und nimmer etwas verzeihen; die sich selbst in nichts schonen, sondern ganz nur Gott anhangen und deshalb beim kommenden Gericht des Lohnes würdig sind, weil sie hier auf Erden vor sich selbst stets in der Schuld gestanden! Was soll ich denn sagen von ihrer Barmherzigkeit und Mildtätigkeit, einer Tugend, die bei ihnen gewissermaßen die Reigenführerin aller anderen Tugenden ist? Denn der Anfang, gewissermaßen die Wiege der Hinwendung zu

Gott, besteht bei den meisten von ihnen darin, daß sie, bevor sie die Schwelle der heiligen Gelübde überschreiten, von all ihrer Habe nichts für sich zurückbehalten nach jenem Wort unseres Herrn, wo er sagt: „Geh hin, verkaufe all dein Gut und gib es den Armen, dann komm und folge mir nach!"[1] So verkaufen auch jene, wenn sie dem Rufe Gottes folgen wollen, alles, ehe sie folgen. Sie betrachten ja den Reichtum gleichsam als Last, als ein Hemmnis, und glauben, sie könnten den Weg der Nachfolge nicht ungehindert gehen, wenn sie nicht vorher alles belastende irdische Gepäck abgeworfen haben; sie machen es wie die Menschen, die ihre Behausung wechseln und die ihre Habe früher an den künftigen Wohnsitz befördern, als sie selbst übersiedeln, damit sie selbst, wenn sie schon all das Ihrige hinübergeschafft haben, dereinst in das Haus einziehen können, das vollgefüllt ist mit unsterblichen Gütern, und, nachdem sie ihre irdische Habe dorthin vorausgesandt haben, in sicherer Hoffnung sind, daß ihnen in Zukunft nichts fehlen werde, da sie doch beim Auszug aus der schlechten, verächtlichen und allmählich doch zusammenstürzenden Behausung dort nichts zurückgelassen haben, was zugrunde gehen müßte. Das also ist die Hoffnung, das ist der Glaube der Frommen; so sorgen sie für sich im voraus durch eine großzügige Hingabe ihres irdischen Guts, auf daß sie auf ewig den Genuß unsterblicher Güter hätten. Du aber — gleichviel wer du bist, Mann oder Frau — der du, deiner Seele und deines Heils vergessen, dich selbst deiner armseligen Habe beraubst, wie sollst du dereinst drüben das aufbewahrt und bereitliegend vorfinden, was du hier auf Erden entweder solchen, die seiner nicht bedurften, oder sogar solchen, die schon Überfluß hatten, zugewendet hast? Wie kannst du glauben, daß Gott dir das vergelten müsse, was du Gott nicht anvertraust? Wie kannst du überhaupt etwas zurückverlangen wollen, was du nicht anvertraut wissen

[1] Matth. 19, 21.

willst? Denn niemand will eine Bezahlung dessen, was er nicht hergibt; und niemand ist so töricht, daß er glaubt, etwas müsse zurückerstattet werden, was er gar nicht ausgeliehen hat. Deswegen wirst auch du unter keinen Umständen hoffen können, daß Gott dir etwas wiedergeben muß, von dem du ja gar nicht wünschest, daß es dir Gott wiedergeben solle, da du es ihm ja gar nicht anvertrautest. So soll an dir das göttliche Wort erfüllt werden: Weil du anderen oder Fremden deinen Reichtum hinterlassen hast, wird dein Grab dein Haus sein auf ewig.[1] Und auch jenes Wort, das
* der Erlöser zu deinesgleichen spricht: „Weil du lau bist, weder heiß noch kalt, will ich dich ausspeien aus meinem Munde."[2] Du sagst: „Ich bin reich und besitze Schätze und brauche nichts" und weißt nicht, daß gerade du elend und arm und blind und nackt bist? Daher soll sich keiner, der in seinem Testament einen Menschen Gott vorzieht, irgendwie mit dem Vorrecht seines geistlichen Lebens und Gelöbnisses schmeicheln! Sträflich und verderblich ist für einen Menschen die Sicherheit, eine vorgefaßte Hoffnung ist noch eine Belastung der Schuld, eine freventlich beanspruchte Freisprechung zieht die Verdammung nach sich. Jeder, der sich vor sich selbst entschuldigt, klagt sich vor Gott an nach dem Wort: „Denn wer da glaubt, er sei etwas, und ist doch nichts, der verführt sich selbst."[3] Niemandem soll also seine Sache als leicht erscheinen; niemand entrinnt schwerer als einer, der fest auf das Entrinnen rechnet.

9. Die Gebote Gottes sind hart, aber nicht für die Frommen

Wohl mag dies alles allzu hart und streng scheinen. Warum auch nicht? Sagt doch die Hl. Schrift: „Jede

[1] Ps. 48, 11 f. sinngemäß.
[2] Offenb. 3, 16. Geringfügige Änderungen gegenüber der Vulgata.
[3] Gal. 6, 3. Geringfügige Änderungen gegenüber der Vulgata.

Züchtigung ist nicht Freude, sondern Trauer."[1] Gewiß, das alles ist hart und streng. Aber was können wir dazu? Das Wesen der Dinge darf nicht geändert werden; und die Wahrheit kann nicht anders verkündet werden, als wie es die Kraft der Wahrheit selbst verlangt! Das halten einige für hart: ich weiß es auch und bin sogar dessen ganz gewiß. Aber was können wir dazu? Nur auf hartem Pfad gelangt man ins Himmelreich. „Denn enge", sagt der Herr, „und schmal ist der Weg, der zum Leben führt."[2] Und der Apostel spricht: „Ich halte dafür, daß die Leiden dieser Zeit nicht vergleichbar sind mit der Herrlichkeit, die künftig an uns offenbar werden wird."[3] Er sagt, jegliches Menschenwerk sei unwürdig, mit „der künftigen Herrlichkeit" verglichen zu werden. Und darum darf den Christenmenschen nichts zu hart und streng scheinen; denn mögen sie Christus für die ewige Seligkeit auch noch so viele Opfer bringen, immer ist das Gegebene noch gering, wo das Empfangene so unendlich groß ist. Nichts ist groß, was auf Erden von Menschen an Gott entrichtet wird, wo das erworben werden kann, was im Himmel das Größte ist. Wohl bedeutet es für die Geizigen eine Härte, das Ihrige herzuschenken. Kein Wunder: alles ist hart, was jemandem wider Willen aufgezwungen wird. Fast jedes Gotteswort hat seine Widersacher. So vielerlei Gebote, so vielerlei Gegner! Wenn der Herr befiehlt, daß Mildtätigkeit unter den Menschen wohne, zürnt der Geizhals; wenn er Sparsamkeit fordert, flucht der Verschwender. Die heiligen Lehren halten die Ruchlosen für ihre Feinde. Die Räuber verabscheuen, was über die Gerechtigkeit geschrieben ist; die Hochmütigen verabscheuen, was über die Demut geboten wird; die Trunkenbolde widerstreben, wo Nüchternheit verkündet wird; die Unzüchtigen stoßen Ver-

---

[1] Hebr. 12, 11. Unwesentliche Änderungen der Vulgata gegenüber.
[2] Matth. 7, 14. [3] Röm. 8, 18.

wünschungen aus, wo Keuschheit befohlen wird. Man darf also entweder gar nichts sagen, oder alles, was gesagt wird, wird irgendeinem der bezeichneten Menschen mißfallen. Jeder Übeltäter will lieber das Gesetz verfluchen, als seine Gesinnung bessern, will lieber die Gebote hassen als die Laster. Was sollen bei all dem diejenigen tun, denen da von Christus die Aufgabe ward, zu sprechen? Sie mißfallen Gott, wenn sie schweigen; sie mißfallen den Menschen, wenn sie reden. Aber — so antworteten die Apostel den Juden — es ist besser, Gott zu gehorchen als den Menschen.[1] Ich gebe jedoch allen, denen Gottes Gesetz schwer und drückend ist, einen Rat — vorausgesetzt, daß sie sich nicht weigern, ihn anzunehmen —, wie ihnen die Gebote Gottes gefallen könnten. Denn alle, die ein heiliges Gebot hassen, tragen die Ursache des Hasses in sich selbst. Für jeden liegt der Grund des Abscheues nicht in den Vorschriften des Gesetzes, sondern in seinen Sitten; denn das Gesetz ist gut, aber die Sitten sind schlecht. Und deshalb sollen die Menschen ihre Vorsätze und ihre Begierden ändern. Wenn sie ihre Sitten rechtschaffen gemacht haben, wird ihnen nichts an dem mißfallen, was ein gutes Gesetz vorschreibt. Denn wenn einmal jemand gut geworden ist, dann muß er notwendig das Gesetz Gottes lieben; denn Gottes heiliges Gesetz enthält gerade das in sich, was ein heiliger Mensch in seinem sittlichen Bewußtsein trägt.

Die Gnade unseres Herrn Jesus Christus sei mit deinem Geiste! Amen.

[1] Apg. 5, 29; „oportet" Vulgata statt „expedit" bei Salvian.

DER IX. BRIEF

Salvian an den Bischof Salonius[1],
seinen Herrn und seligen
Schüler, Vater und Sohn:
Schüler infolge
des früheren Unterrichts,
Sohn infolge der Liebe,
Vater infolge der Würde [2]

Du fragst mich, mein geliebter Salonius, warum die
Schrift, die jüngst ein Zeitgenosse „An die Kirche" gerichtet hat, den Namen „Timotheus" trage. Du fügst fer-

[1] Der Empfänger ist Salonius, der Sohn des Eucherius, dem
auch die Bücher „De gubernatione Dei" gewidmet sind. Der
Brief wurde nach der Erhebung des Salonius zum Bischof und
vor der Herausgabe der „Gubernatio", also zwischen etwa
437/38 und 439/40, geschrieben. Denn die in der Gub. zitierten
Bücher Ad ecclesiam werden als neu erschienen, nuper facti,
bezeichnet.

[2] „per amorem f i l i o, per honorem p a t r i": zur rhetorischen Figur der (verwandtschaftlichen) Identifikation bzw.
Antiphrasis, die sich im Mittelalter besonders in der Sprache
des Marienkults auslebt, vgl. (zunächst Hirner a. a. O. S. 6/7.
dann in weiterem Umfang) A. L. Mayer, Mater et filia. Ein
Versuch zur stilgeschichtlichen Entwicklung eines Gebetsaus-
druckes (Jahrb. f. Liturgiewissenschaft 7 [1927] S. 60 ff.; Er-
gänzungen ebenda 9, Nr. 294; 10, Nr. 434/476; 11, Nr. 391;
Germ.-rom. Monatsschrift 21 [1933] S. 383 ff.; Byz. Zeit-
schrift 33 [1933] S. 382 f.).

* ner hinzu, daß die Schrift doch eigentlich zu den Apokryphen gerechnet werden müsse, wenn ich den Sinn der Bezeichnung nicht ganz einleuchtend erklärte. Ich weiß und sage dir Dank, daß du von mir eine solche Meinung hast und von vorneherein annimmst, es stimme ganz zu meiner Wahrheitsliebe und Sorgfalt, daß ich bei einem die Kirche betreffenden Werk kein Schwanken und Zweifeln dulde, damit ja ein an sich höchst heilsames Unternehmen durch die Unsicherheit der Vermutungen nicht an Wert verliere. Um den Verdacht einer apokryphen Schrift völlig auszuschließen, hätte daher die Tatsache genügen können, daß ich eingangs angeführt habe, die Schrift sei ein Stück neuzeitlicher Literatur und von einem Menschen der Gegenwart aus dem Eifer und der Liebe für Gottes Sache heraus verfaßt; denn eine Schrift,
* die sich als nicht vom Jünger Timotheus stammend zu erkennen gibt, kann doch nicht in den Verdacht geraten, apokryph zu sein. Aber es könnte freilich jemand fragen,
* wer denn der Verfasser sei, wenn es nicht der Jünger ist, und ob er seinen wirklichen oder einen fremden Namen auf das Buch geschrieben habe. Und wirklich: so kann gefragt werden — und zwar mit Recht gefragt werden —, wenn die Frage irgendein nennenswertes Ergebnis zeitigen kann. Bleibt sie aber ohne Ergebnis, was braucht sich dann die Neugierde zu plagen, wenn die glückliche Erkenntnis dann doch die Neugierde nicht befriedigt? Es handelt sich doch bei jedem Buch mehr um den Wert des Gelesenen als um den Namen des Verfassers. Wenn also das Gelesene einen Nutzen und wenn es, gleichviel was es sei, die Möglichkeit hat, den Leser zu fördern, — was bedeutet ihm da ein bloßer Name, der einem Neugierigen doch nichts frommen kann? Einem solchen Frager könnte man ganz passend das Wort des Engels entgegenhalten: „Suchst du die Herkunft oder den Knecht?"[1] Denn da der Name keine För-

---

[1] Tob. 5, 17. Vulgata: Genus quaeris mercenarii an ipsum mercenarium?

derung bedeutet, fragt derjenige, der in der Schrift selbst
schon Förderung gefunden hat, ganz überflüssigerweise
noch nach dem Namen des Verfassers. Wie gesagt also:
Dies könnte als Grund genügen.

Weil ich jedoch dir, mein Salonius, meine Zier und
meine Stütze,[1] nichts abschlagen kann, will ich es dir
noch deutlicher erklären. Drei Fragen sind es, die bei
dem zur Rede stehenden Buch auftauchen können: warum der Verfasser es an die Kirche gerichtet und ob er
unter einem fremden oder unter seinem eigenen Namen
geschrieben hat; wenn nicht unter seinem eigenen, warum er unter fremdem Namen schrieb; wenn unter fremdem, warum er gerade den Namen Timotheus wählte.

Daß er also die Schrift „an die Kirche" richtete, hat
folgenden Grund: Jener Schriftsteller — seine Schriften
können es selbst bezeugen — ist so erfüllt von der Liebe
und vom Dienste Gottes, daß er Gott nichts vorziehen zu
dürfen glaubt nach dem Wort unseres Herrn, das da
sagt: „Wer seinen Sohn oder seine Tochter mehr liebt
als mich, der ist meiner nicht wert."[2] Es gibt freilich
immer laue und nachlässige Menschen, die da glauben,
dieses Gebot müsse nur in den Zeiten der Verfolgung
beachtet werden. Als ob es überhaupt irgendeine Zeit
gäbe, in der irgend etwas vor Gott den Vorzug haben
dürfte, oder als ob der gleiche, der in den Zeiten der
Verfolgung Christus als das kostbarste aller Güter betrachten muß, ihn zu anderen Zeiten als minderwertig
ansehen dürfte! Wenn dem wirklich so ist, dann werden
wir ja die Liebe zu Gott der Verfolgung und nicht unserem Glauben verdanken; und so werden wir nur dann
gottliebend sein, wenn die Gottlosen uns verfolgen, während wir gerade in ruhigen Tagen viel eher als in stürmi-

[1] Über die Verbindung decus-subsidium (praesidium) u. ä.
vgl. C. Weyman in B. Bl. f. d. Gymn. 58 (1922) S. 97 f. und
59 (1923) S 141.
[2] Matth. 10, 37. Vulgata: qui amat filium aut filiam super
me, non est me dignus; Salvian hat: plus quam me.

schen Gott eine größere — oder doch zum mindesten
nicht geringere Liebe schuldig sind. Schon deswegen
verdient er ja unsere größere Liebe, weil er uns nicht
von Leiden heimgesucht werden läßt und uns mit der
ganzen Nachsicht eines milden, gütigen Vaters behandelt,
der es lieber sieht, wenn wir in Ruhe und Frieden unseren Glauben durch fromme Werke erweisen, als wenn wir
ihn bei einer Verfolgung in leiblichen Qualen[1] erproben.
Wenn daher nichts über ihn gestellt werden darf zu einer
Zeit, da wir Bitteres durchmachen müssen, so darf dies
auch dann nicht geschehen, wenn er durch seine Nachsicht uns noch mehr verpflichtet. Doch passen solche
Erwägungen besser für ein anderes Mal; jetzt müssen
wir zu Ende bringen, was wir begonnen haben.

Jener Schriftsteller also, von dem wir sprachen, sah
die schweren und vielfältigen Krankheiten fast aller
Christen vor Augen; er sah, wie von allen, die zur Kirche
gehören, nicht nur nicht alles geringer gewertet wird als
Gott, sondern daß sogar fast alles vorgezogen wird —
denn offenbar verachten doch auch die Trunkenbolde
in ihrer Trunksucht Gott und die Habsüchtigen in ihrer
Gier und die Unzüchtigen in ihren Gelüsten und die
Blutgierigen in ihrer Grausamkeit und fast alle zusammen in all diesen Lastern; und dies wiegt um so schwerer,
als all diese Sünden nicht nur — welch ungeheurer Frevel! — eine lange Zeit hindurch begangen, sondern nicht
einmal später durch die Reue wieder gutgemacht werden,
zumal da auch bei denen, die Büßer heißen, mehr der
Name der Buße in Erscheinung tritt als ihre Frucht;
bloße Namen, die das Wesen der Dinge nicht in sich

---

[1] Poena ist hier offenbar physische Marter; über diesen Gebrauch vgl. C. Weyman, Beitr. zur Gesch. der christlich-lat.
Poesie (München 1926) S. 5. Salvian gebraucht das Wort im
gleichen Sinne auch Ad eccl. II 5 von den Leiden Christi:
acerbissimas quidem poenas sed indignitates poenis acerbio-
res; vgl. auch Viktor v. Vita, Hist. pers. Afr. prov. I 5: diversis
poenarum generibus. Im Mittelalter wurde der Gebrauch allgemein.

haben, sind zu wenig, und bloße Bezeichnungen der Tugenden ohne die Tugendkräfte sind nichts wert. Denn die meisten, ja fast alle, die einerseits an Gütern Überfluß haben, andererseits ihrer Fehler und Laster sich bewußt sind, halten es nicht der Mühe wert, was sie begangen haben, durch Beichte und Genugtuung loszukaufen — ja, noch weniger, nicht einmal durch Gaben der Barmherzigkeit, was doch wirklich ganz leicht wäre! Und sie gehen so nicht bloß in glücklichen Lebenslagen darüber hinweg, nein — und das ist noch viel unchristlicher! — auch im Unglück; nicht allein solange sie bei Kräften sind, sondern auch wenn ihre Kräfte schon nachlassen. So groß ist die Vertrauenslosigkeit der Menschen und so mächtig die seelische Lauheit dieser Untreue, daß viele nur mehr das wirklich zu verlieren wähnen, was sie für ihre ewige Hoffnung und ihr ewiges Heil spenden sollen, während sie ihren Erben, bisweilen auch ganz fremden, die allergrößten Reichtümer hinterlassen. Und mag ein solches Denken bei fast allen anderen schwer wiegen, besonders schwer wiegt es jedenfalls bei denen, gegen die in einem derartigen Vergehen der Veruntreuung sogar noch das Gelöbnis eines gottgeweihten Lebens Anklage erhebt! Aber so ist es wirklich: diese Krankheit hat nicht nur Weltleute befallen, sondern auch solche, die den Ehrentitel des Dienstes Gottes für sich in Anspruch nehmen.

Da also jener Verfasser sehen mußte, daß dieses Übel ganz allgemein verbreitet sei und daß diese Pest nicht * allein die Menschen in der großen Welt, sondern auch * die Büßer und Asketen, die Witwen, die Enthaltsamkeit gelobt haben, und die an heiligen Altären geweihten Jungfrauen, ja — was sozusagen schon ganz ungeheuerlich ist — auch die Leviten und Priester und — verderblicher noch als all das andere — sogar die Bischöfe befallen hat (viele von denen, die ich genannt habe, die ohne Angehörige und Nachkommen sind, die weder Familie noch Kinder haben, vermachten ihr Gut und

ihr Vermögen nicht den Armen, nicht den Kirchen, nicht
sich selbst und auch nicht — größer und vorzüglicher
als all das Vorige! — auch nicht Gott, sondern Weltleuten, und dazu reichen und ganz fremden!), da er-
wachte im Herzen des Verfassers, wie geschrieben steht,
der Eifer des Herrn wie ein brennendes Feuer.[1] Und weil
er, da sein Inneres in heiliger Liebe erglühte, in seinem
glühenden Eifer nichts anderes tun konnte, brach er in
jenen Klageruf voll des Schmerzes aus. An wen aber
dieser Ruf ergehen sollte? Niemand war offenbar mehr
dazu geeignet als die Kirche; denn die solches taten,
waren ja ein Teil von ihr! Ist es doch überflüssig, an
einen oder an ein paar wenige zu schreiben, wo es um
die Sache aller geht! Das also war der Beweggrund
und die treibende Kraft, daß die Schrift, von der wir
reden, an die K i r c h e gesandt wurde!

Nun aber wollen wir vom zweiten Punkt sprechen:
Warum steht im Titel der Schrift nicht der Name des
Verfassers? Dafür hätte es nun, wie ich glaube, eine
ganze Reihe von Gründen geben können, wiewohl einer
davon der allerwichtigste ist. Und dieser erste Grund
ergibt sich aus dem Gebot Gottes, das uns heißt, auf
alle Weise die Eitelkeit irdischen Ruhmes zu meiden,
um nicht den himmlischen Lohn einzubüßen, während
wir nach dem leichten Windhauch[2] menschlichen Lobes
trachten. Daraus erwächst auch jene andere Wahrheit,
daß Gott im Verborgenen zu beten und zu schenken
befiehlt, und daß er uns die Früchte unserer guten Werke
der Stille anzuvertrauen befiehlt; denn keine Glaubens-
frömmigkeit ist größer als jene, die die Mitwisserschaft
der Menschen flieht und sich mit Gott als dem einzigen
Zeugen begnügt. So sagt ja unser Heiland: „Deine Linke

[1] Ps. 78, 5: accendetur velut ignis zelus tuus.
[2] „Inanem aurulam". Durch das Deminutivum (über seinen
Gebrauch bei Salvian vgl. Brakman a. a. O. S. 163 f.) entsteht
ein gewisser, von Salvian öfters beliebter rhetorischer Pleo-
nasmus.

wisse nicht, was deine Rechte tut; und dein Vater, der
im Verborgenen sieht, wird es dir vergelten."[1] Und so
konnte für den Verfasser zum Fortlassen seines Namens aus dem Titel und zu seinem Unerkanntbleiben
dieser einzige Grund genügen, nämlich daß er das Werk,
welches er zu Ehren seines Herrn geschaffen, auch nur
dem göttlichen Wissen vorbehalten wollte, und daß
seine Arbeit Gott um so wohlgefälliger werden sollte,
wenn sie dem öffentlichen Gerede auswich. Und doch
muß zugestanden werden, daß der vornehmste Grund
ein anderer war: jener Schriftsteller ist, wie wir lesen,
niedrig in seinen eigenen Augen und gering vor sich
selbst; er dünkt sich als ganz schwach und der letzte von
allen, und zwar, was bedeutsamer ist, aus dem reinen
Glauben heraus, nicht etwa aus der Verpflichtung an-
genommener Demut, sondern aus der wahrhaftigen Ein-
falt seines Urteils. Und weil er so mit Recht der Ansicht war, er dürfe sich auch von den anderen nur für
das halten lassen, wofür er sich selbst einschätzte, hat
er ganz folgerichtig über seine Schrift einen fremden
Namen gesetzt, auf daß die Geringfügigkeit seiner Person nicht der Bedeutung seiner heilsamen Darlegungen
Abbruch tue; denn alles, was gesagt wird, steht nur so
hoch im Werte, wie derjenige, der es sagt. Ja, so hinfällig, so — fast muß man sagen — so nichtig ist das
Urteil in unserer Zeit, daß die Leser nicht so sehr erwägen, was sie lesen, als vielmehr, von wem sie etwas
lesen, und nicht so sehr die innere Kraft und Macht
der Sprache auf sich wirken lassen als den Rang des
Sprechenden.[2] Aus diesem Grunde also wollte der Verfasser um jeden Preis in der Stille verborgen bleiben:
die Schrift, die so viel des Guten und Heilsamen in sich

[1] Matth. 6, 3. 4.: nesciat sinistra tua quid faciat dextera
tua; in 4: abscondito in der Vulgata, absconso bei Salvian.

[2] Das Wortspiel „nec tam dictionis vim atque virtutem quam
dictoris cogitent dignitatem" kann im Deutschen nicht wieder-
gegeben werden.

trägt, sollte in ihrem Wert nicht etwa durch den Namen des Verfassers herabgemindert werden. Nun weiß
also jeder, der danach fragt, warum er sich einen fremden Namen beilegte.

Es bleibt nur noch zu erklären: warum gerade den
Namen „Timotheus"? Wir müssen auch bei dieser Erklärung wieder auf den Autor selbst zurückgehen; er
ist der Urgrund aller Gründe. Wie er in seiner Demut
einen fremden Namen schrieb, so aus Furcht und Vor-
sicht den des Timotheus. Ist er doch äußerst zaghaft
und furchtsam und schrickt manchmal auch vor der
kleinsten Lüge zurück und scheut jede Sünde so sehr,
daß er sich auch vor dem fürchtet, was gar nicht zu
fürchten ist. Da er also seinen Namen aus dem Titel
fortlassen und einen fremden dafür setzen wollte, da
fürchtete er schon bei dieser Namensvertauschung die
Lüge und meinte, er dürfe unmöglich, auch nicht in der
Ausübung eines frommen Werkes, sich mit einer Falsch-
heit beflecken. In diesem unsicheren Hin und Her des
Zweifelns gewann er dann die Überzeugung, es sei das
Beste, dem hochheiligen Beispiel des ehrwürdigen Evan-
gelisten zu folgen, der an den Anfang seiner beiden von
Gott eingegebenen Werke[1] den Namen Theophilus setzte
und so an die Liebe Gottes schrieb, während er nach
außen hin nur an einen Menschen schrieb; er hielt es
eben für das Passendste, seine Werke an die Liebe Gottes selbst zu richten, die ihn zum Schreiben getrieben
hatte. Diese Überlegung, diesen Gedankengang machte
sich auch unser Verfasser zu eigen. Im Bewußtsein, daß
er in seinem Buch alles zur E h r e Gottes getan habe,
wie der Evangelist zur L i e b e Gottes, schrieb er den
Namen „Timotheus" darüber, wie jener den Namen
„Theophilus"; wie mit dem Wort „Theophilus" die
L i e b e, so wird mit „Timotheus" die E h r e Gottes
ausgedrückt. Wenn du daher liest, daß „Timotheus"
„An die Kirche" geschrieben habe, so mußt du dies

---

[1] Luk. 1, 3; Apg. 1, 1.

dahin verstehen, daß es „zur Ehre Gottes" an die Kirche
geschrieben ist, oder noch besser: daß „die Ehre Gottes"
selbst die Schrift hinausgehen ließ; denn ganz richtig
gilt der als der Schreiber, der die Schrift bewirkt hat.
Aus diesem Grunde also steht über den vier Büchern
der Name „Timotheus". Der Verfasser hielt es für angemessen, wenn er schon zur Ehre Gottes das Werk
schriebe, gleich auch den Titel der göttlichen Ehre zu
weihen.

Nun hast du, mein vielgeliebter Salonius, erhalten, was
du verlangtest; nun habe ich die mir übertragene Aufgabe gelöst. Es erübrigt sich nur noch, daß nun auch du
das Deinige tust, nachdem ich das Meinige getan: Bitte
den Herrn, unseren Gott, und erreiche durch dein Flehen,
daß die Bücher „An die Kirche", zu Christi Ehre nieder-
geschrieben, bei Gott ihrem Verfasser so viel Nutzen
bringen, wie viel sie nach seinem eigenen Wunsch allen
nützen sollen! Ich glaube, das Verlangen ist nicht ungerecht, wenn einer begehrt, daß ihm gerade so viel zu
seinem Heil geschenkt werde, als er allen Mitmenschen
aus seiner Liebe heraus wünscht. Leb wohl, mein Salonius, du meine Zier, du meine Stütze!

Erläuterungen zum Autor und zum Text

1. Salvians Biographie und Profil

Was aus Salvians Leben bekannt ist, läßt ein einigermaßen
eigentümliches Milieu spätantiken Christentums deutlich
werden, aus dem dieser Mann und seine Ideen kommen. Man
erfährt aus seinen Schriften darüber ziemlich viel, denn er
schrieb nicht abstrakt, sondern unter dauernder direkter
Bezugnahme auf die dramatischen Ereignisse seiner Zeit. Er
redet über die Verhältnisse, wie sie in Kirche und Gesellschaft
damals waren, und kritisiert den in seinen Augen miserablen
Zustand der Christenheit seiner Zeit, der ihn empörte und
über den er sehr beunruhigt war.

a) Lebensdaten

Über viele Einzelheiten seines Lebenslaufes läßt sich zwar nur
vermutungsweise reden, aber folgende Auskünfte dürfen als
so sicher gelten, wie sie hier geäußert werden[1]. Salvian lebte
im 5. Jahrhundert und muß kurz vor 400 geboren und um 480
gestorben sein. Als seine Heimat bezeichnete er selbst Gallien
(De gubernatione Dei [gub.] VI 13), wobei dies genauer
Nordgallien gewesen sein muß. Er erlebte eine der vier
Zerstörungen der Stadt Trier durch die Barbaren (gub. VI 15)
und hatte Verwandte in Köln (Brief [ep.] I 5), aber über seinen
Geburtsort ist nichts überliefert. Mit Sicherheit kam er aus
sozial gehobenen Verhältnissen, denn er war, wie sein
Schreibstil zeigt, gebildet, beschrieb seine Kölner Verwandt-

---

[1] Die Quellen und Argumente dafür werden hier nicht ausgebreitet.
Man findet sie in den angegebenen Monographien, besonders bei *H.
Fischer* 11–14; *J. Badewien* 14–18.

schaft als angesehene Familie, zeigte sich in den Anschauun-
gen und Lebensgewohnheiten der römischen Nobilität ver-
siert und reagierte wie ein selbst Betroffener auf bestimmtes
Unrecht gegen asketisch lebende Christen aus der Ober-
schicht. Um 420 heiratete Salvian als Christ die Nichtchristin
Palladia, die aber bald konvertierte und mit der er eine
Tochter Auspiciola hatte. Über seine berufliche Tätigkeit ist
nichts bekannt.

Das Gallien des 5. Jahrhunderts hatte eine christianisierte
römische Bevölkerung; Salvian spricht von sich und allen
Christen als Römern. Nun fiel seine Lebenszeit in die Epoche
der großen Barbaren-Invasionen bzw. der Völkerwanderung.
Was von den Menschen im Römerreich nicht für möglich
gehalten worden war, mußten sie in ein oder zwei Generationen mitanschauen: Das »ewige Rom« wurde von den
Barbaren erobert und geplündert (410 und 455), und auf dem
Reichsgebiet im Westen etablierten sich fremdvölkische
Reiche, das römische Imperium zerfiel. Das alles spielte sich
unter den verheerenden Vorgängen kriegerischer Auseinan-
dersetzungen ab, d. h. verbunden mit Schrecken für die
leidtragende Bevölkerung, mit unendlicher Angst und Not,
mit Flüchtlingselend und chaotischen Lebensbedingungen
für viele. Salvian hat die Ereignisse so erlebt und war offenbar
einer von denen, die sich aus den zuerst betroffenen
nördlichen Breiten in den besser gesicherten Süden absetzten.
Schlimmer noch als die brutalen Erlebnisse der Zerstörung
war für die Menschen der Zeit wahrscheinlich die Erfahrung,
daß mit der für absolut verläßlich gehaltenen politisch-gesell-
schaftlichen Ordnung des Römerreichs nun in jeder Hinsicht
die bisherigen Orientierungen verlorengingen. Nach dem
Zusammenbruch stimmten die bewährten Leit- und Ord-
nungsideen nicht mehr. Die Christen wie die heidnische
Minderheit stellten die Frage nach dem Grund für die
Katastrophe. Die Verunsicherung war allgemein und saß tief.
Man kann ohne Übertreibung von einer Weltkrise reden, die
die betroffenen Generationen erlebten. Salvian für seinen Teil

hatte Reich und Kultur der Römer aufgegeben und war überzeugt, er erlebe die Zeit, »in der der römische Staat entweder schon tot ist oder doch sicher in den letzten Zügen liegt« (gub. IV 6). »Rom stirbt und lacht« (gub. VII 1), so kommentiert er die ihm unbegreifliche Laszivität der Zeitgenossen.

b) Asketisches Christentum und »zweite« Bekehrung

Salvian gehörte nun zu den Christen, die aus dieser irritierenden Situation, in der sich die hiesige Welt so brüchig und heillos zeigte, die Konsequenz einer radikalen Neuorientierung zogen. Er war darin nicht der erste und nicht der letzte. In Nachahmung eines philosophischen Lebensideals der Verinnerlichung menschlicher Existenz vollzogen viele christliche Männer und Frauen damals eine *conversio* neuer Art, also eine Bekehrung getaufter Christen nach ihrer »ersten« Bekehrung. Sie bestand im Entschluß zum asketischen und spirituellen Leben, zum Verzicht auf den Genuß der Vorteile der Welt. Die Überlegungen, die zur Entscheidung bzw. zum Gelübde dieser Art führten, hat Salvian in den »4 Büchern des Timotheus an die Kirche« (eccl.) II 10 (letzte Hälfte) aufgeschrieben. In dieser Form haben sie ihn wohl selbst motiviert. Die Verwirklichung solcher Askese hatte ganz unterschiedliche Formen. Viele *conversi* bildeten Mönchs- bzw. Nonnengemeinschaften. Bei Salvian sah die Bekehrung so aus, daß er um 425 in gemeinsamem Entschluß mit seiner Frau auf die Ehe verzichtete[2] und etwa ab 426 (wie eine Reihe anderer aristokratischer Umsiedler aus dem Norden) mit den Mönchen der Gemeinschaft von Lerin (auf einer Insel vor Cannes) eng verbunden war, aber offenbar ohne sich ihnen als Mönch direkt anzuschließen. Das Ideal der ernsthaften Christen war hier also die Distanzierung von

---

[2] Der 4. Brief zeigt, daß die darüber schwer verstimmten Schwiegereltern noch 7 Jahre danach mit ihren Kindern nicht redeten.

der Welt, Verzichtleistung und rigorose Ethik. Die Ehelosigkeit hatte deutlich den Vorzug vor der Ehe.

So kannte die gallische Kirche zu Salvians Zeit zwei Arten
oder Stände von Christen, auf die man bei der Lektüre seiner
Schriften sehr oft trifft: einerseits die »Weltchristen« *(homines saeculares, mundiales, peccatores homines)*, die ziemlich
bedenkenlos und nach einer laschen Moral dahinlebten;
andererseits die »Heiligen« *(sancti)* oder »Frommen« *(religiosi)* im speziellen Sinn, die Heiligkeit gelobt haben *(religionem
professi)*, Gott bzw. Christus ergeben waren *(deo/Christo
dediti)* und eben Buße und Bekehrung verwirklichten *(paenitentes atque conversi)*[3], also ernster und rigoroser das Ziel und
den Stil ihres Lebens ins Auge faßten als die anderen. Sie
bestanden aus verschiedenen Gruppen: Zu ihnen gehörten
die Kleriker, Mönche und Jungfrauen, die Witwen, die nicht
mehr zu heiraten beabsichtigten, aber auch viele andere
Laien, Männer und Frauen, die sich zu einem ernsthaften,
kompromißlosen Christsein förmlich verpflichtet hatten
(durch »Bekehrung« oder Gelübde) und dies durch ihre
Lebensführung und ihre Kleidung deutlich zu erkennen
gaben[4].

Salvian war also einer von ihnen. Er beschreibt die Entscheidung dazu immer wieder als den einzig realistischen Schritt
des Menschen, da ihm am Heil seines Lebens gelegen sein
muß: Angesichts der »Kürze alles Irdischen« und der
»Ewigkeit des Kommenden« kann vernünftigerweise doch
nur so reagiert werden, daß dieses Leben ganz für das
»Kommende« eingesetzt wird (z. B. eccl. II 10). Von Ehegatten, die (wie Salvian und Palladia) »Enthaltsamkeit gelobt
haben und voll des Geistes Gottes sind«, ist zu erwarten, daß
sie auch beim richtigen Gebrauch ihres Vermögens mit aller

---

[3] In der oben abgedruckten Übersetzung von *A. Mayer* ist diese
Begrifflichkeit nicht einheitlich und nicht immer sinngemäß ins Deutsche
übertragen (vgl. die Bemerkungen zur Übersetzung).

[4] *H. Fischer* 81–88 zur Frage der Unterscheidung von Begriffen und
Gruppen.

Entschiedenheit handeln (eccl. II 7). Von der Position dessen aus, der das Gelübde selbst eingelöst hat, kann Salvian als der Rigorist auftreten, als der er in seinen Schriften die christlichen Zeitgenossen in die Pflicht eines christlich-sozialen Verhaltens nimmt. Offenbar ist er mit seinem Schritt der *conversio* innerhalb des gesellschaftlichen Milieus, zu dem er gehörte, auf verächtlichen Widerspruch gestoßen, hat also einen Verlust an Sozialprestige dafür hinnehmen müssen (gub. IV 7). Doch einen Salvian hat das nicht beirrt. – In dieser Zeit der Nähe zu Lerin war Salvian unter anderem der Erzieher des späteren Bischofs von Genf, des *Salonius,* an den er sein Werk De gubernatione Dei und den 9. Brief adressierte.

c) *Sozialkritik und soziale Praxis*

Salvians christliches Ideal bestand nicht in stiller Innerlichkeit oder klösterlicher Abgeschlossenheit wie bei anderen. Nicht von ungefähr wurde Salvian um 440 (vielleicht auch schon früher) Presbyter der Kirche von Marseille, also ein »Praktiker« (Zeit und Ort seiner Weihe sind nicht bekannt). Er sah nämlich seine Aufgabe in der Veränderung der christlichen Lebenspraxis. Und bei dieser Veränderung zielte er nicht auf die Askese (als Ideal für alle) ab, sondern auf die Bewährung aller Christen im Umgang mit ihrem Reichtum und Besitz, d. h. im sozialen Bereich, den Salvian unter scharfem Protest als durch und durch unchristlich korrupt beschrieb (s. u.). Und er selbst verwirklichte auch hier, was er für richtig und christlich hielt: Er hat nicht nur sein Vermögen mit Sicherheit in dem von ihm dauernd verlangten Sinn »angelegt« (s. u.), sondern er hat auch auf andere Weise sozial gehandelt: Bei Gelegenheit erzählt Salvian, daß er (als Presbyter) einen reichen Mann in gehobener Position aufgesucht hat, um ihn davon abzuhalten, einen armen Teufel, der sein Schuldner war, noch ärmer zu machen – ohne Erfolg zwar (gub. IV 15). Aber solche Hilfe für die Armen hielt er für die christliche

Form der Gegenwehr gegen das soziale Unrecht. Und Salvian war tief enttäuscht, daß sich die Priester bzw. Bischöfe der Kirche aus falschen Rücksichten eben nicht für die Armen verwendeten, und er protestierte auch dagegen: »Wer läßt Gequälten und Leidenden Hilfe angedeihen, da nicht einmal die Priester des Herrn der Gewalttätigkeit ruchloser Menschen [=Reiche und Behörden] Widerstand leisten? Denn die meisten von ihnen schweigen bzw. es macht keinen Unterschied, auch wenn sie reden [...] Denn die offenkundige Wahrheit wollen sie nicht vorbringen, weil die Ohren der ruchlosen Menschen sie nicht ertragen können [...] Und deshalb schweigen auch die, die reden könnten; manchmal verschonen sie sogar die Bösen und wollen sie nicht mit der Kraft der unverdeckten Wahrheit konfrontieren« (gub. V 5). Salvian für seinen Teil sagt auch das Unbeliebte ohne Abstrich. Er analysierte, kritisierte und stellte sozialethisch rigorose Forderungen.

Aber nicht nur das. Er bemühte sich um Gerechtigkeit auch in der Form, daß er die geltenden Maßstäbe des sozialen Gefüges in Kirche und Gesellschaft in äußerst unkonventioneller und unbequemer Manier umstieß. Salvian nahm Umwertungen vor und stellte die geltenden Vorurteile auf den Kopf: Die vielverachteten, minderwertigen Barbaren sind nach seinem Urteil besser als die Römer, und zwar aufgrund ihres besseren sittlichen Handelns – das einzige Kriterium, das für Salvian zählt (gub. IV 13–14)[5]. Die Häretiker unter den Barbaren (nämlich die arianisch christianisierten Vandalen und Goten) sind besser als die römischen Orthodoxen, denn sie sind aufgrund ihrer Unwissenheit schuldfrei; die Schuld an ihrer Ketzerei tragen die falschen römischen Lehrer, von denen sie missioniert wurden (gub.

[5] So an vielen Stellen in der Schrift *De gubernatione*. Aus der Literatur: J. *Badewien* 122–138; A. *Schaefer*, Römer und Germanen bei Salvian, Diss. Breslau 1930; A. G. *Sterzl*, Romanus – Christianus – Barbarus, Diss. Erlangen 1950; J. *Vogt*, Kulturwelt und Barbaren. Zum Menschheitsbild der spätantiken Gesellschaft, Wiesbaden 1967, 57–63.

V 2–3). Die Huren sind besser als die christlichen Ehemänner, da sie in keiner Ehe leben und also keine Ehe zerstören (gub. VII 3). Die Rebellen sind besser als die römischen Behörden und Steuereinnehmer, die sie mit ihren schreienden Ungerechtigkeiten und Gewalttätigkeiten in die Rebellion treiben (gub. V 6). Die Sklaven sind (in sittlicher Hinsicht) besser als ihre Herren (gub. IV 6). Und angesichts der Sünde sind die Unterschiede zwischen den christlichen Ständen (den Vollkommenen und Weltlichen) nur relativ (eccl.). Das ist ein respektabler Katalog, der aus verschiedenen (auch rhetorischen und persuasiven) Tendenzen Salvians zu erklären, in erster Linie aber das Ergebnis seiner konsequenten Einforderung von Moral und Gerechtigkeit ist. Aus der Perspektive seiner moralischen Konsequenz veränderten sich die geltenden gesellschaftlichen Wertmaßstäbe in krasser Weise. Salvian war ein rigoroser Sozialkritiker, seine Radikalität war nicht nur verbal.

2. Salvians Schriften

Bisher wurde schon oft auf Salvians Schriften vorgegriffen, über die noch Genaueres zu sagen ist. Salvians Zeitgenosse, ebenfalls aus Marseille, der christliche Schriftsteller *Gennadius*, der in seiner Auflistung bedeutender Männer die ausführlichste Nachricht über Salvian überhaupt hinterlassen hat (*de viris illustribus* 68)[6], zählt neben den uns bekannten Titeln eine Reihe von Schriften auf, die verloren sind. Sie handelten vom Ideal der Ehelosigkeit und von der Auslegung alttestamentlicher Texte (Kohelet und Genesis) und enthielten eine Anzahl von Predigten. Erhalten geblieben sind die hier vorgelegten *»Vier Bücher des Timotheus an die Kirche«* (*Timothei ad Ecclesiam libri quattuor*, abgekürzt: *eccl.*),

---

[6] Hrsg. von *E. C. Richardson*, Gennadius. Liber de viris illustribus, Leipzig 1896, 84 f.

schon bei Gennadius unter dem Titel »*Adversus avaritiam*« (»*Gegen die Habsucht*«) genannt, der inhaltlich aufschlußreicher ist. Dieses Werk entstand vermutlich kurz vor 440, ob noch in Lerin oder schon in Marseille, muß offen bleiben. Es ist später genauer zu beschreiben. Außerdem blieb das Werk *De gubernatione Dei* (abgekürzt: *gub.*) in 8 Büchern erhalten, d. h. »*Die Lenkung der Welt durch Gott*«, und schließlich noch *9 Briefe*, die z. T. für das Verständnis von *eccl.* wichtig sind. Zu *gub.* sei hier lediglich erwähnt, daß es später als *eccl.*, und zwar in der Zeit zwischen 440 und 451 geschrieben wurde. Es kursiert auch unter dem Titel »*De praesenti iudicio*«, in dem die Hauptthese der Geschichtstheologie zusammengefaßt ist, die Salvian in dieser Schrift entwickelt und beweist: Weltgeschichte ist Vollzug des göttlichen Gerichts als Reaktion auf das menschliche Verhalten. Alles erlittene Unglück der Zeitgeschichte, so legt Salvian auseinander, ist gerechte Sündenstrafe, zugleich Warnsignal Gottes und auf Besserung der Menschen aus. – Aber *gub.* enthält neben diesem Hauptthema auch viele sozialkritische Passagen (z. B. IV 3–4.6; V 4–11). – Aus den Briefen wurden der erste und vierte schon beigezogen; der 9. Brief wird noch erwähnt werden. – Salvian schrieb ein insgesamt ausgezeichnetes Latein[7], und Gennadius bestätigte ihm bereits seine exzellente Bildung.

3. Die 4 Bücher an die Kirche gegen die Habsucht

a) Die Adresse und der seltsame Absender (der 9. Brief)

Salvian adressiert seine Schrift an »die Kirche«, und zwar nicht nur im Titel und auch nicht nur in der obligaten Adressaten-Angabe an der im Brieffformular dafür vorgesehe-

---

[7] Zur philologischen Bewertung seiner Schriften *J. P. Waltzing*, Tertullien et Salvien: Le Musée Belge 19/24 (1920) 39–43; *L. Rochus*, La latinité de Salvien: Mémoires. Académie royale de Belgique, Classe des lettres, T. 30, fasc. 2, Brüssel 1934.

nen Stelle zu Beginn des Briefes; diese Adressierung geht als
Anrede an die Kirche auch noch ein ganzes Stück ins erste
Kapitel hinein und wird zu Beginn der Bücher III und IV
wiederholt. Ob die Kirche auch noch im Schlußgruß gemeint
ist (»Die Gnade unseres Herrn Jesus Christus sei mit deinem
Geist. Amen«: IV 50 Ende) oder ob Salvian seine Adressatin
hier vergessen hat und eine übliche Formel einsetzt, ist schwer
zu entscheiden.

Dabei personifiziert Salvian die Kirche in etwas merkwürdiger Art zu einer hoheitlichen Gestalt (»meine Herrin«,
»Spenderin seliger Hoffnung«). Er meint damit die Gesamt-
kirche des Erdkreises (I 1), unterscheidet sie aber überra-
schenderweise von ihren »Gläubigen *(fideles)*«[8] und »Kindern *(filii)*« (I 1; III 1; IV 1), zu denen auch die Priester und
Bischöfe gehören, so daß man sich fragt, wer nun die Kirche
ist, die er anspricht. Weil es keine weiteren Erläuterungen
dazu gibt, bleibt diese Adressatin reichlich abstrakt. Man
kann nicht angeben, was Salvian sich dabei vorstellt, wenn er
mit der »katholischen Kirche« (I 1) bzw. mit der »Kirche
Gottes« (III 1) über deren Kirchenvolk und Klerus spricht. Er
führt sie als ideale »Mutter« ein, deren »Kinder«, »Volk« und
»Glieder« auf der ganzen Welt die Christen sind (I 1). Und sie
muß sich von Salvian sagen lassen, daß sie derzeit mit den
Führern und der Masse ihrer »Kinder« nicht zufrieden sein
kann. Sie ist dabei seltsam ahnungslos und sucht wegen
Salvians Klage nun nach den Versagern; Salvian nimmt ihr die
Täuschung: Man muß nach ihnen nicht suchen, denn (fast)
alle sind dem Laster der Besitzgier verfallen (I 1).

Die moralische Korruption ihrer »Kinder« ist andererseits
allerdings der Niedergang, die »Krankheit«, die »Schwä-

---

[8] Der überlieferte Text bietet allerdings *infidelium* (»Ungläubige«)
(I 1). *A. Mayer* hat oben in der Übersetzung die Korrektur von *F. Pauly*
u. a. in *fidelium* übernommen; *G. Lagarrigue*, Tome I, 58 bleibt bei
infidelium und versteht das als Element des exzessiven, provokanten Stils
Salvians. Gleich in den ersten Zeilen des Buches wäre dies allerdings eine
Härte.

chung« der Kirche selbst (I 1). Sie scheint als die »Mutter« gedacht, die an den Fehlern ihrer Kinder erkrankt, verarmt und kraftlos wird, ohne selbst die Schuldige zu sein. Aber das Verhältnis Kirche-Christen wird nicht deutlicher.

Im 9. Brief[9] kommt Salvian, kurze Zeit nach der Abfassung von *eccl.*, noch einmal auf die Kirche als Adressatin seiner Schrift zu sprechen. Daß er die 4 Bücher »an die Kirche« gerichtet hat, begründet er jetzt damit, daß die darin kritisierten Christen ja »Teil [pars]« der Kirche seien. Weil sich aber alle angesprochen fühlen sollten, habe er nicht an einige geschrieben, sondern die Kirche als geeignete Adresse gewählt. Ist dann »die« Kirche die Gesamtheit der Christen? Salvian bleibt, was die Relation von Kirche und Christenheit betrifft, unklar.

Die 4 Bücher an die Kirche werden mit einer irreführenden Verfasserangabe eröffnet: »Timotheus [...] an die Kirche!« (I 1). Salvian gibt sich also nicht als Autor dieses sozial- und kirchenkritischen Werkes zu erkennen, das für die Leser aus dem Klerus wie aus dem Kirchenvolk eine einzige Provokation darstellte, sondern er schreibt es einem Timotheus zu. Darum ist diese Schrift auch lange nicht als Salvians Eigentum erkannt worden, gehört ihm aber nach Stil und Inhalt ohne jeden Zweifel. Was soll aber die Irreführung? Pseudepigraphie, also falsche Verfasserangabe, ist in der antiken (auch altchristlichen) Literatur eine verbreitete Praxis[10]. Grund und Absicht der literarischen Fälschung müssen von Fall zu Fall identifiziert werden. Der wirkliche Autor kann in den seltensten Fällen noch ausgemacht werden. Die Forschung hat bestenfalls Indizien aus den pseudepigraphischen Schriften selbst; in der Regel ist sie ganz auf Vermutungen

---

[9] Siehe oben S. 130.

[10] *J. A. Sint,* Pseudonymität im Altertum. Ihre Formen und ihre Gründe, Innsbruck 1960; *W. Speyer,* Die literarische Fälschung im heidnischen und christlichen Altertum. Ein Versuch ihrer Deutung, München 1971; *N. Brox,* Falsche Verfasserangaben. Zur Erklärung der frühchristlichen Pseudepigraphie, Stuttgart 1975.

angewiesen. Demgegenüber liegt bei Salvians 4 Büchern an die Kirche der einzigartige Glücksfall vor, daß der Autor selbst ausführlich erklärt, warum, wie und zu welchem Zweck er die Verfasserangabe gefälscht oder zur Unkenntlichkeit seiner eigenen Person zumindest verschlüsselt hat.

Sein ehemaliger Schüler *Salonius* (s. o.), inzwischen Bischof von Genf, hatte ihn nämlich offensichtlich als den Verfasser dieser unbequemen Schrift identifiziert und zur Rede gestellt. Salvian antwortet ihm im 9. Brief, der oben abgedruckt ist. Dabei räumt er sofort ein, daß Timotheus ein Pseudonym ist, gibt aber in keiner Zeile zu, selbst der Verfasser zu sein, bestreitet dies allerdings auch nicht, sondern lenkt einfach auf die Sachfragen. Er redet vom Verfasser in einer geschickten Verfremdung nur in der 3. Person als von einem »Zeitgenossen«, erklärt aber umständlich und detailliert, was sich dieser Zeitgenosse als der wirkliche Verfasser überlegt und was er beabsichtigt hat, als er seinen Namen nicht auf das Werk setzte, sondern ihn gezielt verheimlichte. Salvian kennt diese Überlegungen so gut und vollzieht sie mit soviel Verständnis und Zustimmung nach, daß es nur seine eigenen Überlegungen sein können, d. h. daß nur er der wahre Autor sein kann, was sich auch durch Stil und Inhalt bestätigt.

Warum aber gab Salvian nicht zu, das Buch geschrieben zu haben? Im 9. Brief, dessen Argumentation leicht zu folgen ist, erklärt er die Manipulation in folgenden Schritten[11]: Zuerst erinnert er an das christliche Verbot der Eitelkeit, wonach sich auch der Schriftsteller bezüglich Ruhm und Erfolg zurückhalten muß und als frommer Christ seinen Namen auf seinen Werken verschweigt. Einen falschen Namen anzugeben kann also auf sehr ehrenwerte Motive hinweisen. Vor allem aber ist dem (frommen) Autor seine Aussage (die Moralkritik) weit wichtiger als seine Autorschaft; schätzt er – wie der fragliche Verfasser von *eccl.* – die Berühmtheit seiner Person, den »Marktwert« seines Namens bei den Lesern gering ein, wird

---

[11] Siehe oben S. 130–133.

er die törichten Kriterien des Publikums, dem der berühmte
Name alles, die Qualität der Lektüre nichts bedeutet,
unterlaufen und einen erfolgversprechenden anderen Namen
über sein Werk setzen – um des unbestreitbar guten Zweckes
willen. Auch dieses Motiv, so setzt Salvian voraus, ist
unanfechtbar. – Und die Wahl fiel im vorliegenden Fall weder
zufällig noch in unredlicher Absicht auf den Namen Timotheus. Mit diesem Namen war nicht der »Apostel Timotheus«, also der Mitarbeiter des Paulus, als Autor vorge-
täuscht; die Schrift verheimlicht ja nicht, erst kürzlich
entstanden zu sein[12]. Folglich kann sie nicht als Apokryphon
(d. h. als vermeintlich apostolische Schrift) von den Leuten
mißverstanden werden, was Bischof Salonius offenbar be-
fürchtet. Der Verfasser wollte es (sagt Salvian) sogar prinzipiell vermeiden, überhaupt einen fremden Namen einzusetzen, weil das in jedem Fall mit einem Quantum an Unwahrhaftigkeit und Betrug verbunden gewesen wäre. Er wählte
keinen Namen, sondern einen »Begriff« mit vielsagender
Etymologie. Nach dem biblischen Vorbild des Lukas (Lk 1,3;
Apg 1,1), der »an die ›Liebe Gottes‹ (Theophilus) schrieb,
während er anscheinend an einen Menschen schrieb«, verfuhr
auch dieser Autor. Wie Lukas als Adressaten nicht einen
Menschen wählte, sondern »die Liebe Gottes«, »die ihn zum
Schreiben getrieben hatte«, so nannte der fragliche Autor von
eccl. nicht einen Menschen als Verfasser, sondern Timo-theus
als Chiffre für »die Ehre Gottes«, in deren Namen die Schrift
verfaßt wurde. Er hat also keine Lüge oder Unwahrhaftigkeit
begangen, »denn ganz richtig gilt der als Schreiber, der die
Schrift bewirkt hat« (sc. Gott).
Salvian weiß seine pseudonyme Schriftstellerei also mit lauter
erbaulichen Argumenten gegen bischöfliches Mißtrauen zu

---

[12] *G. Lagarrigue*, Tome I, 44 nimmt Salvian diese Versicherung nicht
ab und glaubt, die Erklärung des Pseudonyms über die Etymologie
(»Ehre Gottes«) sei vergleichsweise unwichtig gegenüber der apostoli-
schen Bürgschaft durch den Timotheus der neutestamentlichen Timo-
theus-Briefe. Ich meine, man müsse hier Salvian glauben.

immunisieren. Er lobt den Autor, mit dem er sich nicht identifiziert, für sein integres christliches Verhalten: ohne Selbstruhm die verdienstliche Rolle des Anklägers einer korrupten Christenheit zu übernehmen. Wer will sich bei der »Fälschung« Übles denken? Ob Salvian damit alle seine Gründe genannt hat, kann man allerdings bezweifeln. Es fällt bei ihm (auch in *gub.*) eine gewisse Geheimnistuerei gerade mit Namen und sogar in unverfänglichen Zusammenhängen auf. Vor allem deutet er auch öfter an, daß sich der moralische Ankläger im Volk eben doch stark unbeliebt macht mit seinen penetranten Drohungen und den unangenehmen Forderungen. Daß er sich da gelegentlich ein wenig aus der Schußlinie nehmen wollte, ohne aber seine Aufgabe zu vernachlässigen, damit darf man rechnen. Andererseits war *gub.* nicht weniger rigoros und durch etliche dort angeschnittene Themen noch brisanter als *eccl.*, Salvian setzte aber seinen Namen darüber. Wenn solche Gründe der Pseudonymität auch etwas von den angegebenen Motiven Salvians abgewichen sein mögen, so waren diese Motive doch nicht desavouiert, denn sie entsprechen der frommen Mentalität Salvians[13]. Daß Salvian mit seinem Pseudonym »Timotheus« nicht auf einen bestimmten anderen, und zwar berühmteren Namen als angeblichen Verfasser ablenken wollte, wird man ihm angesichts der gut sortierten Überlegungen im 9. Brief abnehmen. Insofern ist *eccl.* kein pseudepigraphisches, sondern ein pseudonymes Werk[14]. Und zwar ist seine Verfasserangabe zu einer Metapher stilisiert worden.

---

[13] Salvians Bescheidenheitsübungen in diesem Zusammenhang darf man nicht soziologisch umrechnen und auf sie hin eine Herkunft aus »der gallischen Hocharistokratie« ausschließen (*H. Fischer* 13. 102).

[14] Vgl. *A. E. Haefner*, Eine einzigartige Quelle für die Erforschung der antiken Pseudonymität (1934): *N. Brox* (Hrsg.), Pseudepigraphie in der heidnischen und jüdisch-christlichen Antike, Darmstadt 1977 (154–162) 157. Aber es bleibt eben doch bei Täuschung und Irreführung, solange Salvian sich nicht als Autor bekennt: *N. Brox*, Falsche Verfasserangaben 102–104. 106–110.

b) Schwierigkeiten mit der Lektüre

Wenn man heute eine Schrift von so hohem Alter liest, mag
das Thema noch so interessant und aktuell sein, die Schreib-
weise ist ungewohnt und wirkt unter Umständen dermaßen
antiquiert, daß die Lektüre unattraktiv wird. Damit muß der
Leser, der Salvian ohne Vorbereitung liest, auch hier rechnen.
Salvians Rhetorik wirkt nicht unbedingt interessant, die
Argumente sind nicht in jedem Fall überzeugend. Darum ist
es günstig, wenn der Leser sich zuerst über die Problemstel-
lung und den Argumentationsverlauf dieser 4 Bücher Salvians
an die Kirche informiert, wie das anhand der Gliederung und
der folgenden Seiten möglich ist. Und außerdem muß er die
Bereitschaft aufbringen, die Regeln und Vorlieben der spätantiken lateinischen Schriftstellerei zu akzeptieren, an die auch
die Christen der Zeit sich zu halten hatten, wenn sie
Publikumserfolg haben wollten.

So muß sich der Leser darauf einstellen, daß ihm etliche
Passagen in *eccl.*, besonders in den Büchern III und IV,
langatmig und ermüdend vorkommen und ihn als unergiebige
Wiederholungen derselben Gedanken und Argumente zum
Überschlagen reizen. Oder es stört ihn der oft sentenzenhafte
Stil, das emphatische Pathos, oder der gewollt wirkende
Wechsel zwischen gelassenen und emotionalen Kapiteln. Das
und anderes sind nicht die Mittel heutiger Schriftstellerei. Vor
allem kann hier die Länge einer solchen Mahn- oder
Flugschrift im Verhältnis zur Einfachheit ihres Leitgedankens
stören, der sich tatsächlich viel kürzer sagen ließe, ohne
dadurch gleich unwirksam zu werden. Aber hier braucht man
Geduld zum Verstehen der Sprache einer vergangenen
Epoche, deren Pragmatik dann durchaus nachvollziehbar
wird.

Man muß in unserem Fall z. B. zur Kenntnis nehmen und
tolerieren, daß Salvian die Mittel der Rhetorik seiner Zeit,
deren Vorzüge dem heutigen Leser nicht gleich einleuchten
und ihn auch nicht unbedingt begeistern, einsetzte, um im

Beweis und auch im Affekt literarisch alles herauszuholen, was ihm möglich war[15]. Der Effekt des stilistischen Könnens, das ein Leserpublikum damals verlangen durfte, unterstützt in entscheidender Weise die rational-argumentative Seite einer Schrift, d. h. er hebt die Bedeutung des thematisierten Sachverhalts und verstärkt die Überzeugung und Motivation, die erreicht werden soll. Man erkennt diese Wirkungen an Salvians Büchern, sobald man sich in sie einliest. Die Vielzahl der Überlegungen, Zeugnisse, Beweise, Beispiele und Überredungen geben dann zu erkennen, wie sie geeignet sind, z. B. durch ihre Monotonie wie auch durch ihren Rhythmus der Beweisschritte und Schlußfolgerungen, durch ihre breite Fächerung der Information im Detail und der Anordnung motivierender Reizideen die Einsicht in den letztlich einfachen Grundgedanken unausweichlich zu machen und die Entscheidung zu dessen ungemein anspruchsvoller Verwirklichung vorzubereiten.

Salvians Stilmittel penetrant indoktrinierender Wiederholung und überzeichnender Beschreibung und vieles andere mehr sind außerdem auch darauf angelegt, die resignierende Skepsis des Verfassers zu kompensieren, daß er das Gewünschte mit dieser Schrift doch nicht erreichen könne. Das Ziel der Schrift ist hoch gesteckt (s. u.) und kommt einer allgemeinen Neubekehrung der gallischen Christenheit der Zeit gleich. Die Erfahrung, daß solche Appelle nichts nützen, das Wissen, daß niemand diese unbequeme Predigt hören will, und das Bewußtsein, wie schwer die Verwirklichung den meisten oder »fast allen« Christen (wie Salvian sagt) fällt, verlangt einen Schreibstil der andeutungsweise beschriebenen Art. Fast hat man den Eindruck, daß Salvian sich in diesen Formen der beschwörenden Ermahnung durch die Gewißheit befreit hat, zum skandalösen Niedergang der Kirche nicht geschwiegen zu haben. – Mit einiger Geduld und etwas langem Atem sind diese 4 Bücher noch immer lesenswert und geeignet, zum

[15] Vgl. auch G. *Lagarrigue*, Tome I, 42.

neuen Nachdenken über ein altes Thema christlicher Praxis zu provozieren.

c) Salvians Protest und Argumentation gegen den Besitzstil der Christen

Salvian hat in diesem Werk ein einziges Thema: Er attackiert seine christlichen Zeitgenossen wegen ihres Umgangs mit Besitz und Vermögen, den er für christlich untragbar hält. Er beschwört sie, es anders zu machen. Dem literarischen Genus nach ist *eccl.* darum zu einer Mahnschrift geworden[16]. Salvians Rede ist hier dermaßen eng auf dieses Thema Besitz fixiert, daß man sich für den zeitgeschichtlichen Hintergrund der Kritik bereits an die etwas später entstandenen 8 Bücher *De gubernatione Dei* halten muß; die 4 Bücher an die Kirche enthalten nichts darüber. Aber aus *gub.* wissen wir, daß die unsagbare Not der von den Kriegsereignissen betroffenen Bevölkerung, die verbreitete Hilfsbedürftigkeit und Verarmung die Folie für seine fast kompromißlose Forderung nach sozial-karitativer Verwendung allen Besitzes aller Christen war. Salvian verlangt alles Vermögen für die Kirche, was aber bei ihm eindeutig heißt: für die Armen (*ep.* 9 und oft in *eccl.*). Nun ist auffällig, daß Salvian in *eccl.* sein Thema Besitzverzicht immer wieder auf den Zeitpunkt des Lebensendes des Menschen hin bespricht: Spätestens da soll der Christ das Richtige tun mit seinem Besitz (nämlich ihn herschenken), und gerade da tun die meisten Christen noch einmal das Falsche damit (sie vererben ihn, um ihn zusammenzuhalten und in den Verwandten weiterhin zu besitzen). Das bedingt eine seltsame, den Leser bisweilen langweilende Verengung des Themas (speziell im Buch III). Aus *gub.* muß man hier aber ergänzen, daß Salvians soziale Kritik in der Sache doch sehr viel weitsichtiger war: Er kritisierte genau so die ungerechte, brutale Steuer- und Enteignungspraxis, die asozialen Begünstigungen der Reichen, die Interessenverflech-

[16] *H. Fischer* 108 f.; vgl. *J. Badewien* 159.

tung von Klerus und Besitzenden (gub. V 5), die horrende Höhe sinnloser öffentlicher Ausgaben für das unmoralische Theaterwesen usw. Hier in *eccl.* konzentriert er die moralische Gewissenserforschung seiner Leser ganz auf die Frage: Was tust du mit deinem Besitz?

Das brisante Problem von Reichtum und Armut[17] wird von Salvian nun ganz konsequent unter den christlichen Anspruch gestellt und dabei für den heutigen Leser in teils reichlich schlichten, teils allerdings auch eindrucksvollen Gedanken bewältigt. Die Frage nach der Herkunft und Legitimität von Besitz und Reichtum angesichts ihrer krass ungleichen Verteilung in der Welt stellt sich für Salvian nicht. Er beschreibt den Besitz arglos als Gabe Gottes, die den besitzenden Menschen auf Widerruf und zur Nutznießung überlassen ist. Dieser Herkunft wegen ist Besitz ein Gut, in sich sittlich neutral. Aber dieser Herkunft wegen gibt es keinen neutralen, »unschuldigen« Gebrauch davon: Gott verband seine Ziele mit dieser Leihgabe. Sie macht die soziale Hilfe für die Armen und die guten Werke möglich, die Gott vom Menschen verlangt und die für beide Seiten gut sind, für den Geber und für den Empfänger. Das Problem von Reichtum und Besitz reduziert sich für Salvian auf die Frage nach dem rechten Gebrauch *(bene uti)*. Die Leihgabe ist dazu da, um an Gott, d. h. aber an die Armen zurückgegeben zu werden. Salvian redet oft davon, daß man den Besitz Gott schuldet, oder auch, daß man ihn der Kirche aushändigen soll. Er meint damit also jeweils, daß alles christliche Vermögen den Armen ausgeteilt werden muß und darin seinen moralischen Sinn findet. Barmherzigkeit *(misericordia)* und Freigebigkeit *(largitas)* sind Schlüsselbegriffe dieser Schrift.

Wichtig also, daß Besitzverzicht oder gewählte Armut hier nicht Askese sind, sondern immer im sozialen Zusammen-

---

[17] Ein kurzer Abriß der Problemgeschichte bei *H. Fischer* 25–54. Vgl. auch *Klemens von Alexandrien*, Welcher Reiche wird gerettet? Deutsche Übersetzung von *O. Stählin*, bearb. v. *M. Wacht* (Schriften der Kirchenväter Bd. 1), München 1983, 70–90.

hang von Hilfe und Barmherzigkeit stehen. Zwar verlangt nicht erst die Notlage der Armen, sondern prinzipiell die Schuldigkeit vor Gott und die richtige Einschätzung der materiellen Dinge, daß man sich vom Besitz löst; aber der soziale Bezug der Forderung fehlt bei Salvian nie und qualifiziert den Umgang mit Vermögen in entscheidender Weise.

So einfach sich das anhört, Salvian sieht die Kirche an diesem Problem in einen alarmierenden Niedergang geraten, die Christen an dieser Forderung scheitern und sich selbst als Prediger bis zum äußersten provoziert. Denn was sieht man die Christen tun? Sie häufen und horten den Reichtum für sich, geben ihn während des ganzen Lebens nicht her und suchen ihn, wie gesagt, auf dem Weg bisweilen merkwürdiger Erbpraktiken (Adoptiverben: III 2.13.14) über ihren Tod hinaus zu sichern, statt sich wenigstens dann noch von ihm zu trennen. Salvian zeigt auf vielen Wegen, daß nach Bibel und Vernunft Gottes Auftrag völlig deutlich ist: Der Reichtum ist zum Geben da. Wo die Barmherzigkeit in unmenschlicher Weise verweigert wird, bringt sich der Reiche akut in Gefahr, was sein Heil betrifft. Salvian stilisiert die Habsucht hier zur Kapitalsünde im Christentum. Ein hauptsächliches Argument besteht darin, daß er klar macht, man müsse doch im eigenen Interesse, nämlich um des künftigen, ewigen Heils willen mit seinem Besitz anders handeln als man es tut.

Man kann sich als Leser an etlichen Stellen darüber ärgern, wie Salvian fast in einer Finanz- und Banksprache damit wirbt, man tue doch viel klüger daran, wenn man seinen Besitz dauerhaft (im Jenseits) anlegt, als daß man dem Vermögen im Diesseits Dauer verschaffen will (durch Vererbung). Und in dieser Sprache wirbt er auch um das fällige Vertrauen zu Gott und Christus als den Partnern des »Geschäfts« (z. B. II 12). Er bilanziert zwischen kurzfristiger Entbehrung und ewigem Genuß. Und er empfiehlt, doch nach völlig egoistischen Gesichtspunkten zu handeln (II 14–15; III 4): Der Reiche soll sein Geld zum eigenen Nutzen im Jenseits anlegen, statt es zu seinem (ewigen) Schaden anderen (Erben) zum zeitlichen Nutzen zu vermachen. Der Tausch wäre pervers. An sich selbst soll er denken, nicht an die besitzlüsterne Verwandschaft, die auf das Erbe wartet. Er soll sein Vermögen am Ende so nutzen (nämlich es herschenken), daß er zweimal damit reich wird, eben auch im Jenseits.

Das liest sich dem Wortlaut nach alles recht makaber; es muß als stark popularisierende Predigersprache verstanden werden: Salvian will auf diese gemeinverständliche Art Maßstäbe zurechtrücken: (Dein) ewiges Heil zählt unvergleichlich viel mehr als zeitliches Wohlergehen (der Erben). Wie dumm ist es, gegen diese Relationen zu verstoßen und diesen Qualitätsunterschied zu ignorieren!

Letztlich will Salvian so gegen die Vordergründigkeit der menschlichen Orientierungen an Besitz und Wohlstand auf die ganz andere Qualität wirklichen Reichtums und wahren Glücks aufmerksam machen, die schon jetzt besessen werden können und das ewige Leben bei Gott ausmachen. In dem merkwürdigen Appell »denk an dich selbst« steckt der Ernst der Heilsfrage (z. B. IV 5). Salvian demonstriert das unterscheidend Christliche in dieser Schrift *eccl.* an der Alternative von Konsum und Sozialpflichtigkeit des Besitzes. Christliche Existenz heißt für ihn, daß kein besitzender Christ (abgesehen von Not, Dringlichkeit und maßvoller Kinderversorgung)[18] sein Vermögen für sich behält. Salvian beklagt, kritisiert, beteuert, daß »fast alle«, namentlich auch die Prieser und Bischöfe, anders leben und folglich in der allergrößten Heilsgefahr stehen, wenn sie nicht schon verloren sind. Aller Besitz ist für die Armen da, nicht zum Eigennutz und nicht zur Vererbung. Salvian nennt es allerdings den Idealfall, wenn die Verwandtschaft, der man

---

[18] Übrigens berücksichtigt Salvian beim Besitzverzicht im Testament durchaus die Auflagen, die das geltende Erbrecht zur angemessenen Berücksichtigung der nächsten Angehörigen des Erblassers machte (kurze Darstellung bei *H. Fischer* 62–66).

sein Vermögen am liebsten zugute kommen läßt, zugleich die
Armen sind, denen man es vor Gott schuldet (III 4).

Es wird nicht ohne weiteres klar, wie ernst bzw. wie
buchstäblich Salvian diese rigorose Forderung gemeint hat,
wie verläßlich seine Beschreibung der damaligen Gesell-
schaftsmoral, wie gerecht also seine pauschale Kritik ist. Zur
Beurteilung ist von der Person und Situation Salvians
auszugehen. Er ist ein Asket, der sich selbst keinen Kompromiß gestattete und die »Volkskirche« nun schonungslos vor
die Wahl stellt. Er erkennt natürlich von seiner rigorosen
Position aus den riesigen Abstand zu solchen Idealen im
Kirchenvolk. Das Kirchenvolk ist aber identisch mit der
spätrömischen Gesellschaft, der, wie einmal jemand geschrieben hat, das Christentum in ethischer Hinsicht »kaum die
Haut geritzt« hat. Salvian zeigt (ob damals schon Presbyter
oder nicht) die Reaktion des Rigoristen, der er zweifellos war.
Weil er die Kirche bei großartigen äußeren Erfolgen so
heruntergekommen sieht, wie sie sich ihm darstellt, bekommt
die Korrektur die Form von Protest. Da wird exzessiv
moralisiert, schärfstens denunziert und pauschal verklagt.
Salvian warnt, droht, beunruhigt und verunsichert seine Leser
mit dem Gedanken an das, was sie nach dem Tod erwartet; er
rechnet ihnen anhand der biblischen Forderungen ihr Risiko
vor und sucht sie von der Schwere ihres horrenden Versagens
zu überzeugen. Da ist es unpassend, von Übertreibungen bei
Salvian zu reden. Das ist eben die beißende Rede des
eifernden Moralisten. Er macht seinen Lesern gezielt ein
schlechtes Gewissen, zeigt ihnen freilich auch, was sie tun
sollen, also den praktischen (auch praktikablen?) Weg zu
begründeter Hoffnung und Heilsgewißheit. Ständig gibt er
das ewige Schicksal zu bedenken, rechnet die relativ leichte
Wahl vor, die man zur rechtzeitigen Vorsorge in diesem
Leben vor dem Tod noch hat, droht also mit dem Unheil im
Jenseits, mit Gericht und Höllenfolter (z. B. III 3.4). Andererseits sucht er auch durch die Retrospektive zu verunsichern: Jeder Mensch hat sich so mit Sünden belastet, daß er

dankbar und entschlossen die Möglichkeit ergreifen muß, sich mit seinem Geld von der Schuld freizukaufen bzw. die praktizierte Freigebigkeit als Heilmittel für seine Sünden einzusetzen. Diese beiden Gedanken ziehen sich durch alle 4 Bücher.

Zu dieser Art gehört es, daß er permanent im Gespräch ist mit seinen Lesern und Zeitgenossen: Er bespricht unmittelbar und konkret ihr Fehlverhalten, kritisiert den Moralkodex, vollzieht ihre Überlegungen nach, formuliert ihre vielen tatsächlichen oder denkbaren Einwände, kann sich ihre Reaktionen und Gefühle bei der Lektüre seiner Schrift vorstellen und nimmt all das, um seine Argumentationen und Überführungen in Gang zu setzen bzw. zu halten. Häufig sind appellative Redefiguren: »Zu dir spreche ich, um dessen Sache es geht; dich rede ich an, dessen Schicksal sich entscheidet! Du sollst das tun...« (I 12). So bleibt er immer »aktuell« und wird nicht theoretisch.

Man kann sich leicht vorstellen, daß Salvian als Kritiker und Prediger ein unbequemer Zeitgenosse war, aufdringlich und lästig, provokant und hart, wie in seinen Schriften. Offenbar war er selber unanfechtbar, weil er nicht nur forderte, sondern auch verwirklichte. Und er behauptet zu allem hinzu, mit seiner kantigen Rigorosität milder zu sein als der Jakobusbrief (5,1–3); während der Apostel in dem »zu Unrecht aufgespeicherten Reichtum« als solchem schon den Grund für die todsichere Verdammung des Menschen sehe, biete er, Salvian, die Möglichkeit, aus dieser tödlichen Masse Reichtum »noch das ewige Leben zu bereiten«, indem man den Besitz eben verschenkt (I 8). Und so sehr sich die Leute gegen sein Ansinnen wehrten, wie die vielen Einwände zeigen, die alle an seiner Strenge abprallen, so sind seine Ideale trotz allem wohl auch zeitgemäß zu nennen. In der katastrophalen Umbruchszeit ist der rigorose Ruf nach der Entscheidung für das Beständige und Wesentliche nämlich populär, auch wenn er nicht befolgt wird. Die Schärfe und Totalität, mit der Salvian die Moral des Besitzens als Pflicht zur

karitativen Ablieferung allen Vermögens erklärt, ist allerdings
innerhalb der altkirchlichen Tradition doch die seltene
Ausnahme. Salvian kann nicht begreifen, daß die Menschen
aus dem zeitgeschichtlichen Debakel nichts dazulernten.
Gegenüber der unbekehrten christlichen Gesellschaft ohne
soziale Moral fühlt er sich, wie er wiederholt zu erkennen
gibt, dann eben doch als unbeliebter Mahner im Auftrag
Gottes, dessen Reden keiner hören will (IV 9; gub III 8).

d) Das Ziel der Sozialkritik

Salvian war Pessimist in seiner Beurteilung des Zustandes von
Kirche und Reich, und zwar in der Form, wie der Moralist
geneigt ist, die Vergangenheit der Gegenwart vorzuziehen[19].
War er aber auch Pessimist bezüglich der Realisierbarkeit
seines Postulats eines allgemeinen Besitzverzichts? Wer diese
Forderung erhebt, muß sie wohl für realistisch halten. Bei
Salvian kann man sich dessen aber nicht sicher sein. Er äußert
sich dazu nämlich nicht. Zwar stellt er eigens heraus, daß es
sein Ideal in der Wirklichkeit gibt: Unter den Asketen sind
nicht nur die Versager, die ihr Vermögen behalten, sondern
genau so die, die außer ihrer Frömmigkeit auch die buchstäb-
liche Armut leben (II 3 Ende; IV 8). Andererseits versichert
er, daß mit wenigen, die das tun, auch nur wenig gewonnen
ist: »Die Bekehrung eines einzigen hebt die Laster der
Überzahl nicht auf, und um Gott zu versöhnen genügt es
nicht, wenn ein einziger von den Sünden abläßt« (gub. III 11).
Darin ist zwar nicht direkt die Frage der allgemeinen
Realisierbarkeit angesprochen, aber doch ein auch diesbezüg-
lich resignativer Ton angeschlagen.
Es bleibt die Frage nach einem Entwurf oder Programm
dessen, was Salvian beabsichtigte. Er läßt so etwas (gegen
anderslautende Ansichten der Salvian-Forschung) nicht er-

---

[19] Vgl. *G. W. Olsen*, Reform after the Pattern of the Primitive Church
in the Thought of Salvian of Marseilles: The Catholic Historical Review
68 (1982) 1–12, hier 10.

kennen. Wenn er mit dem Finger auf die Urkirche zeigt (I 1; III 10; gub VI 4), dann nicht in dem Sinn, daß er damit den Zustand beschrieben haben will, den er wiederherstellen möchte, sondern um die jetzige Kirche zu beschämen. Im Urkirchenbild steckt die Erinnerung an Besseres, der Kontrast zum Gegenwärtigen, das Stimulans zum Aufbruch, aber nicht im Sinn eines Programms idealer Verhältnisse, das Salvian wohl nicht hatte. Man muß ihn wahrscheinlich so verstehen, daß er sehr viel verlangte, um einiges zu erreichen, wobei er die praktischen Fragen der ganzen Sache (wie geben? zu welchem Ende alles herschenken? vielleicht bis zum Ausgleich zwischen Arm und Reich? usw.) in einer sehr störenden Weise ganz einfach ausspart. Man muß dabei aber beachten, daß er mit der akzeptierten Unterscheidung zwischen »Weltchristen« und »Heiligen« ja immer schon eine Stufenethik und darin Formen von Kompromiß vorgesehen hat.

Und man beobachtet, daß er in verschiedenen Fällen einen minimalen oder sogar »normalen« Besitz zuläßt. Absolut und total sind nur seine pausenlosen Appelle, nicht seine Vorstellungen vom tatsächlichen idealen Vermögensgebrauch. Und sehr bezeichnend ist schließlich, daß sich die ganze Frage bei ihm so sehr auf das Lebensende verschiebt[20]: Hier und eigentlich nur hier ist die Möglichkeit des totalen Verzichts tatsächlich erreichbar, man muß nur von den konventionellen Erbpraktiken wegkommen, durch die der einzelne vom großen Schritt der Freigebigkeit abgehalten wird. Für eine programmatische Neuordnung von Vermögen und Besitz im Sinn etwa eines Ausgleichs unter kirchlicher Anleitung gibt es bei Salvian keine gedankliche Basis[21].

Das Ergebnis seiner Äußerungen ist eine rhetorisch zwar sehr scharf ausgefallene, in der inhaltlichen Forderung auch sehr anspruchsvolle, aber eben doch nicht auf Umsturz angelegte

---

[20] *H. Fischer* 57.
[21] Vgl. *H. Fischer* 105–107.

Veränderung der Sozialethik. Diese Ethik sollte nicht Gesell-
schaftsstrukturen, sondern menschliches Verhalten ändern.
Folglich brauchte Salvian kein Programm gesellschaftlicher
Veränderung[22], kein Modell einer anderen Ordnung zu
entwerfen, sondern »nur« auf die soziale Verwendung oder
Nutzung des Vermögens zu drängen. Daß solche Verände-
rungen im individualethischen Bereich (Gerechtigkeit, Barmherzigkeit) auch gesellschaftliche und politische Auswirkun-
gen haben, wird von einem altkirchlichen Presbyter wie
Salvian freilich nicht reflektiert; daß aber »die Verhältnisse« in
diesem Sinn sich ändern, ist von ihm durchaus beabsichtigt[23].
Das unmittelbare, direkt benannte Ziel dieser Sozialmoral ist
es, in Barmherzigkeit und Freigebigkeit das Kennzeichen des
Christseins *(speciale Christianorum omnium bonum)* zu
benennen und diese Tugenden als die primären Verdienste
(merita) der Frommen wie die wirksamsten Heilmittel
(remedia) für die Sünder zu erkennen (III 1). D. h. daß Salvian
in der sozialen Ethik die Verwirklichung des zentral Christlichen und auch dessen erlösende Kraft (Befreiung von Sünde
und Strafe) erkannte. Folgerichtig nennt er es stereotyp
Unglauben, wenn der Mensch sich auf diese Ethik nicht

---

[22] Aufgrund der geistesgeschichtlichen Voraussetzungen war die Idee
der Veränderung im sozialpolitischen Sinn im spätantiken Bewußtsein
kaum wirksam; vgl. *K. Beyschlag,* Christentum und Veränderung in der
Alten Kirche: Kerygma und Dogma 18 (1972) 26–55.
[23] *J. Badewien* 138–161 ist der Ansicht, daß »die ethische Besserung,
der Gehorsam gegen Gott« Salvians »politisches Reformprogramm« sei,
daß er »ein Gestaltungsprinzip klösterlicher Gemeinschaft auf die
gesamte Christenheit – und d. h. schon in seiner Zeit: auf die gesamte
Gesellschaft – zu übertragen« beabsichtigte, also eine »durchgreifende
Reform der ganzen bestehenden Gesellschaftsverhältnisse [...] auf
christlich – asketischer Grundlage« (so mit *W. A. Zschimmer,* Salvianus,
der Presbyter von Massilia, und seine Schriften, Halle 1875, 85) anzielte.
Das ist alles um eine Nuance zu »politisch« formuliert und wird aus m. E.
mißverstandenen Textgruppen abgeleitet. – Auch *G. Lagarrigue,* Tome
II, 36 rechnet mit (in *eccl.* aber nicht niedergeschriebenen) Vorstellungen
Salvians über die Organisation einer wirklich christlichen Gesellschaft.

einläßt und sie nicht lebt (II 12; IV 5). Wenn man (was
notwendig ist) unterstellt, daß Salvian konsequent im Denken
war, muß man ihn dahin verstehen und zusammenfassen, daß
er nicht Reichtum und Besitz als solchen denunzierte,
sondern den Besitz*stil*, d. h. den überall verbreiteten egoistischen Umgang damit.

e) Eine Theologie der Armut und Armenhilfe

Man muß hier einen wichtigen theologischen Gedanken
Salvians stärker herausstellen, als er selbst es tut. Denn dieser
Gedanke muß für sein Bild vom Christsein wichtiger gewesen
sein als es statistisch den Anschein hat. Es geht darin um die
Zusammenhänge von Armut, Reichtum und christlicher
Moral, also um Salvians Zentralthema. Der banale Einwand
(ob er nun wirklich erhoben worden ist oder Salvian ihn
fingiert hat), daß man Gott nichts (Materielles) erstatten muß,
weil er solche Dinge ja nicht braucht – ein Einwand, der den
Besitzverzicht zugunsten Gottes bzw. Christi unsinnig ausse-
hen lassen soll –, veranlaßt Salvian zu einer etwas umständli-
chen Klarstellung, die sich vereinfacht und ihrer Pointe nach
so wiedergeben läßt: Gott (Christus) bedarf und erbittet
nichts für sich, insofern er Gott ist, aber wohl insofern er Not,
Armut und Entbehrung der Menschen erleidet, denen er
barmherzig nahe ist. Salvian sagt: »er leidet Not *in* den vielen
Menschen«; »er wartet auf Wohltaten *in* den Seinen« (IV 4).
Christus leidet Not und hat Bedürfnisse »in« den Menschen,
und folglich braucht er die materiellen Besitzgüter der
Reichen, um diese Not zu beenden, die seine eigene ist.
Salvian erklärt das nicht exakter. Von seiner Christologie
bzw. Inkarnationsvorstellung weiß man nichts außer seiner
Abgrenzung vom Arianismus (gub. V 2). Er versteht dieses
»Christus in den Armen« aber jedenfalls ganz direkt nach Mt
25,35–45. In den Armen und Notleidenden hat man Christus
vor sich (IV 4). Ihnen sein Vermögen austeilen heißt also, es
Christus zurückgeben oder: »Christus in ihnen zum Erben

machen« (IV 7). Was man ihnen nicht gibt, das verweigert
man Christus (ebd.). Dieser Gedanke, daß die Armen
Christus gegenwärtig machen und man in ihnen unmittelbar
Christus erreicht, ist traditionell[24]. Salvian verwertet ihn nur
in *eccl.* II 4 und 7. Seine sonstigen theologischen Begründun-
gen sind (ad usum delphini) von anderer Art und schlichter:
Er zitiert Bibeltexte, belehrt aus Beispielen und Vernunft.

Aber diese Idee vom »Christus in den Armen« ist für ihn
selbst offenbar doch viel zentraler gewesen als ihre nur
sporadische Verwendung erkennen läßt. Ohne sie wäre ja
Salvians maßgebliche Logik unerklärt, wonach das Vermögen
des Christen Gott gehört, ihm zurückzugeben ist und dies die
theologische Metapher für die Sozialpflichtigkeit des Besitzes
ist: Man gibt sein Vermögen Gott, d. h. man tut damit das
einzig Richtige und Gebotene und Legitime, wenn man es
den Armen gibt. Die Identifikation von Gott (Christus) mit
den Armen als den Adressaten für die Abgabe des Besitzes
muß ja ihre christlich-theologische Begründung haben.
Salvian kennt sie gewiß aus der kirchlichen Überlieferung und
findet sie in Mt 25 bestätigt. Die rhetorische Ausführung in
eccl. ist seine eigene Leistung: Die Menschen leiden einzeln
unter verschiedenen Nöten oder Mangelerscheinungen, aber
niemandem geht alles zugleich ab, keiner hat alle Not auf
einmal zu tragen. Nur Christus trägt alles zugleich, weil er
alles trägt, was die gesamte Menschheit drückt *(Christus
tantummodo solus est, cui nihil est, quod in omni humano
genere non desit)*. Er friert, hungert und durstet mit den
notleidenden Menschen. Jeder Bedürftige hat nur seine
eigenen Entbehrungen zu erleiden, aber Christus ist als
einziger »in der Gesamtheit aller Armen bettelarm« *(solus
tantummodo Christus est, qui in omnium pauperum universitate mendicet)* (IV 4). Aller Leidensdruck der Welt ist Christi
Passion, und Christus ist die Summe aller Armen. Näher wird

---

[24] Patristische Belege bei *M. Pellegrino*, Salviano di Marsiglia, Rom
1940, 157.

das von Salvian nicht erklärt, aber es macht in dieser Form ja
seine sozialethischen Vorstellungen verständlich und erklärt
auch die Rigorosität seiner Forderungen noch einmal anders:
»Christus ist arm, und du sorgst dafür, daß die Reichtümer
der Reichen noch größer werden? Christus muß hungern,
und du verschaffst denen, die schon Überfluß haben, ein
üppiges Leben? Christus klagt, daß ihm sogar Wasser fehlt,
und du füllst die Keller der Trunkenen noch mit Wein? usw.«
(IV 4). Das ist – in die Metapher von Inkarnation gekleidet
– die Klage darüber, daß man seinen Besitz nicht den Armen
verteilt, sondern an gut Versorgte vererbt. Bei diesen peinli-
chen Anfragen muß der Mensch zur Einsicht kommen, wie
fatal falsch das ist, was er mit seinem Besitz praktiziert, wenn
er ihn für sich behält und ihn nicht Christus, d. h. den Armen
gibt, die »die Armen Gottes« sind (III 9).

Bemerkungen zur Übersetzung

1. Die Zwischenüberschriften über den Kapiteln gehören nicht zum Originaltext, sondern stammen vom Übersetzer. Sie sind nicht immer genau und insgesamt etwas antiquiert formuliert. Darum wurden etliche vom Bearbeiter neu gefaßt.

2. Salvian verwendet für die Zweiteilung der Christen in zwei verschiedene Stände eine differenzierte Terminologie, die der Übersetzung beträchtliche Probleme stellt. Hauptsächliche Begriffe, mit denen Salvian die beiden Stände beschreibt, sind einerseits: *sancti, religiosi, religionem professi, continentiam professi, professio religiosa (religionis, sanctitatis), monachi, deo (bzw. Christo) dediti, paenitentes atque conversi, religiosi nomen, nomen religionis, sancti nomen ac professio, sponsio, conversio;* andererseits: *mundiales, mundi amatrix, saeculares, saeculo dediti, peccatores (bzw. pravi) homines, inreligiositas.* Es läßt sich keine Regelmäßigkeit ausmachen, nach der Salvian bei der Verwendung dieser verschiedenen Termini verfährt. Sie sind darum sehr schwer in eine einheitliche deutsche Diktion zu übertragen. Der Übersetzer hat eine Einheitlichkeit nicht angestrebt und außerdem auch keine konsequenten Übersetzungsregeln eingehalten. Die Genauigkeit der Wiedergabe ist darum nicht groß, die Übersetzung im Einzelfall uneinheitlich und nicht immer sinngemäß. Der Leser liest im deutschen Text einerseits von den »heiligmäßigen Menschen«, den »Frommen«, »Gottesfürchtigen«, »Gottgeweihten«, »Gottverlobten«, »Asketen«, vom »geistlichen Stand«, von »geistlichen Personen«, die »den Ehrentitel des Dienstes Gottes« tragen, »die sich dem klösterlichen Leben geweiht haben«, ferner vom »Ordensleben«, von Kindern, die von ihren Eltern »Gott dargebracht wurden« bzw. »die den geistlichen Stand erwählt haben«, von »geistli-

chen« oder »gottverlobten Kindern«; andererseits von den
»Weltmenschen«, »Weltleuten«, »Weltdienern«, »Weltkindern«, den »in der Welt gebliebenen Kindern«, »die der Welt
anhängen«, »in der Welt sind«, »der Welt dienen«, von den
»Sündern«, »Schlechten« usw. Diese vielen verschiedenen
Ausdrücke in der Übersetzung haben nur zum Teil ihre
Entsprechungen in Salvians lateinischem Vokabular. Sie
können vom jeweiligen Zusammenhang her den Leser
bisweilen verwirren. Salvian macht seinerseits gar nicht so
viele Unterscheidungen, wie die Übersetzung suggeriert.
Man kommt für die Lektüre darum ohne weiteres mit der
Information aus, daß sich die Christen in Salvians Zeit und
Umgebung auf zwei Stände verteilten, die *sancti* und die
saeculares, die »heiligen« und die »weltlichen« Christen,
wobei die ersteren durchaus nicht alle in Klöstern lebten.
– Zur Übersetzung dieser Begrifflichkeit sind im folgenden
keine Einzelbemerkungen gemacht.
3. Eine vergleichbare Schwierigkeit liegt in der Wiedergabe
der Wortgruppe *fides, credere* (Glaube, glauben; aber auch
Treue, anvertrauen) bzw. *perfidia, infidelitas, incredulitas*
(Unglaube, aber auch Treulosigkeit). *A. Mayer* übersetzt
wieder uneinheitlich, was im Prinzip wegen der Bedeutungs-
Varianten unvermeidlich ist. In vielen Passagen (z. B. II 12)
geht es Salvian aber um Unglaube und Glaubensmangel im
qualifizierten Sinn: Wo Reichtum und Besitz habsüchtig
mißbraucht werden, kann keine Rede von Christentum sein.
Auch an solchen Stellen gibt der Übersetzer aber oft mit
»Untreue« oder »Vertrauensmangel« wieder, womit die
Pointe fast verlorengeht. Auch darauf wird nicht mehr im
Einzelfall hingewiesen.
4. Einzelne Bemerkungen zur Übersetzung (vgl. * am Rand)
erfolgen unter Zugrundelegung der Edition von *G. Lagarrigue,* Tome I, 120–132.135–344 (und verglichen mit den
Editionen von *F. Pauly* und *C. Halm*), wobei die Angaben
wie folgt zu verstehen sind: 11, 10. Z. v. o. = Seite 11 der
Übersetzung, 10. Zeile von oben (v. u. = von unten).

A. Des Timotheus vier Bücher an die Kirche

11, 10. Z. v. o.: Die Handschriften haben *infidelium* (=Ungläubige), was *G. Lagarrigue*, Tome I, 58.138 f. (in sarkastischer Bedeutung) beibehält. Die Korrektur zu *fidelium* (=Gläubige) ist indes vertretbar, wenn nicht vorzuziehen.

11, 14. Z. v. o.: statt »Dienst« konkreter: »Gebrauch« *(opus)*.

13, 9. Z. v. u.: Hier wird Sir 15,18.17 zitiert.

14, 4. Z. v. u.: hinter »Güter« fehlt: »Die Plätze der Schätze hat (Gott) also nach den Verdiensten derer bezeichnet, die sie sammeln«.

18, 4. Z. v. u.: statt »Heiland«: »Gott« *(deus)*.

20, 12. Z. v. o.: statt zweimal »gespendet« deutlicher: »gegeben, verliehen« *(datae)*.

20, 13. Z. v. o.: statt »Ursache« besser: »Intention« *(causa)*.

20, 15. Z. v. o.: statt »wozu«: »zu welchem Gebrauch«; im Text sind die 3 Begriffe *auctor – causa – usus* (Urheber, Intention, Gebrauch) wichtig.

20, 10. Z. v. u.: statt »Milde«: »Freigebigkeit« *(largitas)*.

22, 7. Z. v. o.: statt »Dienst« konkreter: »Werk« *(officium)*.

22, 15. Z. v. o.: statt »Dienst«: »Werk« *(opus)*.

25, 9. Z. v. o.: statt »Dienst«: »Werk« *(opus)*.

26, 10. Z. v. u.: statt »... auf wie ...« richtig: »... auf, wir dagegen ...« *(nos)*.

27, 14. Z. v. o.: statt »wenn sie ausgeblieben sind« wahrscheinlicher: »wenn er zu sündigen aufgehört hat« (cessaverit statt *cessaverint*; vgl. zur Textüberlieferung *G. Lagarrigue*, Tome I, 58).

27, 15. Z. v. u.: statt »sich mit der falschen Hoffnung tragen«: »ein schlechtes Leben führen in der Hoffnung« *(spe male agentibus)*.

32, 11./12. Z. v. o.: statt »so bringt ... eines Schenkenden«: »so soll er es nicht etwa mit dem Dünkel eines großzügigen Gebers hergeben« *(non offerat quasi praesumptione donantis)*.

33, 7. Z. v. o.: statt »in innerer Umkehr«: »mit Eifer« *(cum ambitu).*

33, 19. Z. v. o.: statt »im Zwiespalt«: »in der Ungnade« *(in offensione).*

42, 1. Z. v. u.: vgl. 1 Kor 7,29, zitiert auch im Kapitel II 5.

43, 17. Z. v. u.: statt »das Denken ist anders geworden« sachgemäßer: »die Grundbedingung (oder: ›Geschäftsgrundlage‹) ist eine andere geworden« *(mutata ratio est).*

45, 7. Z. v. o.: hinter »jetzt« zu ergänzen: »das Evangelium«.

45, 15. Z. v. o.: statt »denen, ... so sein wird«: »die, ... so sind«.

45, 10. Z. v. u.: statt »Kraftlosigkeit« wörtlich: »Untreue« oder »Unglaube«. Vgl. *G. Lagarrigue*, Tome I, 201 f.: »le manque de foi au milieu des larmes«, was keinen rechten Sinn ergibt. Vielleicht eine Textverderbnis; es muß, im Duktus der hier erfolgenden Auslegung des Paulus-Textes, ein Übermaß beim Weinen (bei der Trauer) gemeint sein.

46, 4. Z. v. u.: statt »göttlicher Natur« mit Phil 2,6: »in Gottesgestalt«.

47, 6. Z. v. o.: statt »dem«: »den« *(ipsum ... deum).*

50, 6. Z. v. o.: statt »an Barmherzigkeit«: »am Werk der Barmherzigkeit« *(opus misericordiae).*

51, 13. Z. v. o.: statt »besorgten«: »befürchteten«.

52, 1. Z. v. u.: »ohne ehrbaren Namen« setzt die Korrektur zu *nomine* (statt *homine*) voraus (siehe Anm. 2); der überlieferte Text *(homine)* hat aber seinen guten Sinn: »ohne (entsprechenden) Träger« (vgl. *G. Lagarrigue*, Tome I, 59.215).

53, 11. Z. v. u.: hinter »nicht« zu ergänzen: »wie den übrigen Menschen« *(ut ceteris).*

55, 2. Z. v. o.: statt »Wissenschaft« besser: »Wissen« oder »Kenntnis« *(scientia).*

57, 5. Z. v. u.: statt »Besseres«: »Sichereres und Heilsameres« *(tutius ac salubrius).*

60, 8./9. Z. v. o.: statt »nicht an noch zweifelhafte Dinge zu glauben« eher: »meine Zweifel nicht aufkommen zu lassen« *(dubia non credere).*

61, 13. Z. *v. o.:* statt »sogar allen Stoff und alles Wesen in der Welt« : »die Elemente und die Natur der Welt« *(elementa ipsa et naturam mundi).*

62, 16./17. Z. *v. o.:* statt »tut ... Abbruch« wahrscheinlich richtiger: »muß zum frommen Werk verwendet werden« *(religiosum absumat officium);* vgl. G. *Lagarrigue,* Tome I, 231; *H. Fischer* 142 Anm. 29.

63, 11. Z. *v. o.:* statt »solche Leute« deutlicher: »die Mägde« *(quasque).*

66, 4. Z. *v. o.:* statt »Mörder« : »seinen Gegner« *(adversarios suos).*

67, 4./5. Z. *v. o.:* statt »die sich den Anschein ... gibt« besser: »die das Bild ... zur Schau trägt« *(religionis imaginem praeferente).* Salvian will hier nicht Heuchelei unterstellen.

67, 3. Z. *v. u.:* hinter »von« einzufügen: »zahlreichen und« *(multis ac magnis testibus).*

68, 5. Z. *v. o.:* hinter »Zweck« einzufügen: »vom Herrn« *(a domino).*

68, 13. Z. *v. u.:* statt »von Gott« richtig: »an Gott«. Die Logik des ausgelegten Bibeltextes verlangt die Lesart *deo* statt der Konjektur *a deo* (vgl. G. *Lagarrigue,* Tome I, 60).

74, 7. Z. *v. u.:* statt »Dienst am Nächsten« wegen des Zusammenhanges: »familiäre Zuneigung« *(caritas).*

80, 5. Z. *v. o.:* statt »nach« : »während« *(in servitute positi).*

82, 2. Z. *v. u.:* hinter »Kindern« einzufügen: »mit vollem Recht« *(recte).*

84, 1. Z. *v. u.:* zu streichen »sondern sie hatten alles gemeinsam«; Salvian zitiert diesen Halbvers nicht mit.

85, 6. Z. *v. u.:* hinter »das Ihre« einzufügen: »um Gottes willen« *(ob deum).*

92, 6. Z. *v. u.:* statt »Verwandtschaft« : »Pseudo-Verwandtschaft« *(mendacium propinquitatis).*

94, 3. Z. *v. u.:* hinter »Teuersten« einzufügen: »und eng Verbundenen« *(ac devinctissimo tuo).*

94, 2. Z. *v. u.:* hinter »überlässest« einzufügen: »und nichts von Deinem Vermögen aushändigst« *(tamdiu nihil de tuo tradis)*.

97, 9. Z. v. u.: statt »Liebeswerk der Armut«: »dieses Beispiel eines guten Werkes, das auf arme Leute zugeschnitten ist« *(hoc ... opus pauperculorum)*.

106, 5. Z. v. u.: statt »beschwerlicher«: »unerträglicher« *(molestius)*.

106, 3./2. Z. v. u.: statt »mit diesem religiösen Leben in Zwiespalt sind«: »dieses religiöse Leben in ihrer Gesinnung nicht bejahen« *(a religione dissentiunt)*.

107, 5. Z. v. o.: statt »dieselbe«: »ihre glaubenslose Behauptung« *(infidelissimam praedicationem)*.

108, 14. Z. v. o.: Vor »Was ...« ist folgender Passus einzufügen: »Denn erst wenn der Mensch die Unsicherheit und Gefährdung dieses Lebens verläßt und der Unbeständigkeit aller Dinge entzogen ist, erst dann verdient er eine sichere Beurteilung, weil die Anerkennung erst dann wirklich feststeht, wenn das Verdienst dessen, der da anerkannt wird, nicht mehr verloren gehen kann. ›Die Weisheit‹, heißt es, ›kündet sich erst beim Sterben‹«.

110, 8./9. Z. v. o.: statt »nach seinem eigenen Urteil beim Sterben auf Gott verzichtet«: »mit seinem eigenen Urteil beim Sterben Gott gegenüber nur Verachtung bekundet« *(eum etiam moriens iudicio suo spreverit)*.

110, 9. Z. v. u.: hinter »schließlich« einzufügen: »auch fast« *(ferme etiam)*.

111, 2. Z. v. o.: statt »sündigt«: »zu sündigen behauptet« *(qua se quispiam dicat peccare causa)*.

112, 2. Z. v. u.: statt »nicht auf Grund seiner Macht, sondern« deutlicher: »zwar nicht nach seiner Macht, aber wohl ...«.

113, 3./4. Z. v. o.: statt »nicht an sich, sondern an den Seinen« deutlicher: »nicht für sich selbst, sondern für die Seinen«.

113, 9./10. Z. v. o.: statt »ihr Gesegneten meines Vaters! Nehmet das Reich in Besitz«: »ihr Gesegneten! Nehmet das Reich meines Vaters in Besitz« *(benedicti, possidete regnum patris mei)*.

113, 13. Z. v. u.: statt »Gleichzeitig sagt er ja«: »Er ruft uns doch ins Bewußtsein« *(Ecce ... commemorat).*

113, 6. Z. v. u.: statt »gibt es doch nicht eine einzige allgemeine Armut« sinngemäßer: »handelt es sich ja nicht um eine einzige (oder: ein und dieselbe) Armut an sämtlichen Dingen« *(non est universorum una paupertas).*

114, 3. Z. v. o.: statt »ist herausgestoßen«: »lebt in der Fremde« *(exulat).*

114, 9./10. Z. v. o.: statt »der die ganze ungeheure Not der Armut tragen muß« weniger abstrakt: »der in der Gesamtheit aller Armen betteln geht« *(qui in omnium pauperum universitate mendicet).*

114, 13. Z. v. u.: statt »nichts leisten«: »keinerlei Gegenleistung erbringen« *(nil praestaturis).*

114, 4. Z. v. u.: statt »die Religion«: »ein frommes Leben« *(religio).*

114, 2. Z. v. u.: statt »beweisen«: »sicherstellen wollen« *(licet ... adseras).*

114, 1. Z. v. u.: hinter »heucheln!« einzufügen: »du glaubst überhaupt nicht, du glaubst nicht!«

115, 7. Z. v. u.: Vor »Daher« einzufügen: »So kommt es, daß du für andere mehr sorgst als für dich, weil du nicht glauben willst, daß dir ein gutes Werk nützen wird«.

116, 13. Z. v. o.: statt »Bei meinem Heiligtum«: »Bei meinen Heiligen«. Wenn Salvian die Vulgata *(sanctuario)* abänderte *(sanctis)* (vgl. S. 116 Anm. 2), dann in der Absicht, die kritisierten »Frommen« zu verunsichern. Die Übersetzung muß bei dieser Änderung bleiben.

116, 14. Z. v. u.: statt »durch einige leibliche Vorzüge«: »wegen etlicher körperlicher Verzichtleistungen« *(quibusdam ... bonis corporalibus).*

117, Anm. 2: statt »427f.«: »927f.«.

118, 12. Z. v. o.: statt »zum Schuldigen«: »zur Schuldigen« *(ream).* Salvian hat in diesen Zeilen Frauen angesprochen *(quaecumque illa es).*

118, 13. Z. v. u.: Anspielung auf Ps 33,13.

118, 12. u. 11. Z. v. u.: statt »den frommen Armen« wohl richtiger: »den bedürftigen Frommen« *(indigentibus sanctis)* nach der Begrifflichkeit von den zwei christlichen Ständen (siehe die Erläuterungen zum Text). Vgl. *H. Fischer* 58 mit Anm. 36; *G. Lagarrigue,* Tome I, 333.

119, 13. Z. v. u.: zu tilgen »wahrhaft« *(omnes sanctos).*

122, 12. Z. v. o.: Das Bibelzitat »Weil du lau bist…« umfaßt Offb. 3,16–17 und reicht bis Zeile 16 Ende (»… nackt bist?«).

B. Der IX. Brief: An den Bischof Salonius

126, 1. Z. v. o.: hinter »Schrift« einzufügen: »solange sie dem Timotheus zugeschrieben ist«.

126, 16. und 19. Z. v. o.: statt »Jünger« wörtlich: »Apostel« *(apostolus).*

128, 4. Z. v. u.: statt »Reue«: »Bußverfahren« *(paenitentia* im sakramentalen Sinn).

129, 10. Z. v. u.: statt »Pest«: »Schande« *(labes).*

129, 9. Z. v. u.: statt »Menschen in der großen Welt«: »Weltchristen, Weltleute« *(mundiales homines).*

Literatur-Hinweise

1. Ausgaben

C. *Halm,* Salviani... Libri qui supersunt (Monumenta Germaniae historica, Auctores antiquissimi 1,1), Berlin 1877.

F. *Pauly,* Salviani Presbyteri Massiliensis opera omnia (Corpus scriptorum ecclesiasticorum Latinorum 8), Wien 1883

G. *Lagarrigue,* Salvien de Marseille. Œuvres Tome I. Les lettres. Les livres de Timothée à l'Eglise. Introduction, texte critique, traduction et notes (Sources chrétiennes 176), Paris 1971

G. *Lagarrigue,* Salvien de Marseille. Œuvres Tome II. Du Gouvernement de Dieu. Introduction, texte critique, traduction et notes (Sources chrétiennes 220), Paris 1975

2. Literatur

J. *Badewien,* Geschichtstheologie und Sozialkritik im Werk Salvians von Marseille, Göttingen 1980

H. *Fischer,* Die Schrift des Salvian von Marseille »An die Kirche«. Eine historisch-theologische Untersuchung, Bern–Frankfurt/M. 1976

J. *Fischer,* Die Völkerwanderung im Urteil der zeitgenössischen kirchlichen Schriftsteller Galliens unter Einbeziehung des heiligen Augustinus, Heidelberg 1948

F. *Prinz,* Frühes Mönchtum im Frankenreich, München–Wien 1965

G. *Sternberg,* Das Christentum des 5. Jahrhunderts im Spiegel der Schriften des Salvianus von Massilia: Theol. Studien u. Kritiken 82 (1909) 29–78.163–205

Anhang

In den Anmerkungen zur abgedruckten Übersetzung sind folgende Titel in Abkürzung zitiert:

Brakman, C. J., Observationes grammaticae et criticae in Salvianum: Mnemosyne N. S. 52 (1924) 113–185

Halm, C., Über die handschriftliche Überlieferung des Salvianus: Sitz.-Berichte d. kgl. bayer. Akad. d. Wiss. zu München, philos.-philol. u. hist. Kl. 1876/1, 390–412

Hirner, F. X., Commentatio de Salviano eiusque libellis (Progr.), Frisingae 1869

Ullrich, J. B., De Salviani Scripturae sacrae versionibus (Progr.), Neostadii ad H. 1892

Sach- und Namenregister

Bibelstellen-Register

Inhalt